MIYASHITA KONOKA

小さな鈴
シリーズ

宮下木花12歳童話集

いちばん大切な願いごと

宮《みや》下《した》木《この》花《か》 12歳 童《どう》話《わ》集《しゅう》

いちばん大切な願いごと

もくじ

1…いちばん大切な願《ねが》いごと

小さな水たまりのような池に、あひるのクーが住んでいました。

クーは体が小さく、泳げないので、いつもほかのあひるたちに、いじめられていました。

「ばーか。クーなんかどっかいけ」

「クー、あんたって、どう

してそうのんびりなの？　もっとてきぱき動きなさい！」

ですが、行動がおそいのも泳げないのも、クーには足が一本ないからです。

クーは昔、たきからおちてしまい、片足《かたあし》がどこかへとばされてしまったのです。

そして、足を一本なくしてぐったりとなったクーは、だれかに助けられ、岩まで流れつきました。

そのだれかとは、だれなのかわかりません。でも、魚だったことは覚《おぼ》えています。だけどその魚もおびれの部分しか覚えていません。

クーが、いつものように水の上でボーッとしていると、ただ一人《ひとり》やさしくしてくれる、かえるのおばさんが、そばにきて言いました。

「クーちゃん、またいじめられているの？」

「う、うん。まあ……」

「あんまりひどいようなら、海のむこうにあるゆきんこ島へ行くといいわ」

「ゆきんこ島？」

「ええ、ゆきんこ島にはルルっていう神様がいるの。ルルはちっちゃい小人《こびと》の神様なんだけど、こまっている人の願いを、なんでもきいてくれるの」

「へえっ！」

クーは、おばさんにいろいろ教えてもらうと、出かけてみることにしました。

いよいよ出発の日、クーはおばさんのところにあいさつに行きました。

「おばさん、ぼく、行ってくる。がんばるからね」

「クーちゃん、気をつけて行ってらっしゃい。おばさんにきいておきたいこととか、ある？」

「ないよ。ありがとう」

クーは悲しかったけど、かえるのおばさんとさよならしました。

クーは、すなはまに流れついた木をあつめて、クーがひとりのれるくらいの小さな小さなイカダをつくりました。

(こんなイカダで、へいきかなあ。波にのまれたりしたら、泳げないから、ぼく、しんじゃうよ)

でもクーは、いままでみたいにからかわれて、いじめられるのはいやなので、命がけで行くことに決めました。

クーはイカダを力いっぱいおして、海の上にのせると、片足でピョンととびのりました。

いよいよクーの海の旅がはじまりました。

クーがはじめにであったのは、とびうおたちでした。

「おまえ、一本足のチビのくせに、どこへ行くんだ」

子どものとびうおが言うと、お母《かあ》さんとびうおが言いました。

「ごめんね、うちの子がしつれいなことを言って。気にしないでね。でも、かわいそうだわ。足の不自由な、こんな小さい子がひとりで、イカダにのって」

「ぼく、クーです。足が一本しかなくて、泳げなくて、みんなにいじめられるんです。だから、神様のいるゆきんこ島へ行って、お願いするんです」

「えらいわねえ。じゃあクーちゃん、がんばって行ってらっしゃい」

とびうおのお母さんが言うと、ほかのとびうおたちも口ぐちにいろいろなことを言って、はげましてくれました。

たいようが、まっくろいくもにかくされて、西の空では、ゴロゴロと雷《かみなり》がなっています。

そのくもは、こっちへ近づいてきます。

「こ、こわいよう。かえるのおばさん、助けて……」

雷は、クーの頭の上でゴロゴロとなり、強い風がふき、雨がふってきました。

クーは、こわくてふるえていたのですが、おそろしいいなびかりがして、ものすごい雷の音がすると、気を失ってしまいました。

クーをのせたイカダは、大きな波にもまれながら、ただ流されていきました。

（ここは、どこ？）

「あら、おきたの」

気がつくとクーは、ゆきんこ島に流れついていたのでした。

だれか女の人が話しかけてきました。

（だれ？　魚、おびれ……。このニオイは、なつかしいぞ。それに、この声もきいたことがあるぞ）

「もしかして、あなたは、あひるのクーちゃん？」

「えっ、はい」

「やっぱり！　声もかおもなつかしいわ」

「あ、あなたは、ぼくがたきからおちたとき助けてくれた……」

「そうよ、わたしは人魚姫《にんぎょひめ》。この島に住んでるの」

みるとクーの前には下半身《かはんしん》は魚なのに、上半身《じょうはんしん》は人間のきれいな女のひとが、やさしくほほえんでいました。

「ぼく、一本足になっちゃったけど、ぼくの命を助けてくれて、ありがとう」

クーは一本足で立ち上がると、お礼を言いました。

「クーちゃんが元気になって、ほんとうによかった」

それからクーは、今、小さな水たまりのような池に住んでいること、体が小さく、一本足で泳げないので、ほかのあひるからいじめられていること、かえるのおばさんに教えてもらって、ゆきんこ島の神様にあいにきたことなどを話しました。

　すると人魚姫が言いました。

「あ、そういえば、かえるのおばさんから、てがみがきてるわよ」

「えっ」

　クーはてがみを受けとって読みました。

『クーちゃん、もうゆきんこ島についたようね。このてがみを、とびうおのゆうびんやさんに、そくたつで人魚姫さんのところへ、もっていってもらいます。おばさんは病気にかかってしまいました。でも、しんぱいいりません。クーちゃん、がんばってね。神様にあって、願いをきいてもらえるよう、おばさんはおいのりしています。

かえるのおばさんより

クーちゃんへ
』
「たいへんだ、かえるのおばさんが病気だって」
　読みおわってクーが言うと、人魚姫が暗いかおをして言いました。

「ウワサによると、おばさんの病気は、すごく重いらしいわ。おなかがふくれて、痛《いた》いらしいの。どんなおくすりもきかないそうよ」

「えっ、そんな……。おばさんがかわいそうだよ。ぼく、すぐにおばさんにあいたい」

「だめよ、クーちゃんは、ゆきんこ島の神様にあうんでしょ」

「でも……」

「でもじゃないわ。あっ、雪がふってきたわ。それじゃ、わたしはこれでさよなら」

人魚姫はそう言うと、胸《むね》の前で手を組んで寒そうにふるえると、南の方の島へむかって、泳いでいってしまいました。

人魚姫は、いつもはだかなので、雪がにがてなのです。

ゆきんこ島はふしぎな島で、冬だけでなく春にも秋にも夏でも、雪がふります。

それもとつぜんふってきます。

「寒い、さっきまであんなにあたたかかったのに」

クーはそう言って、羽をバタバタさせてふるえました。

そして一本足で、雪の中を、ピョンピョン歩いていきました。

しばらくするとゆきんこ島のまんなかの、おもちゃのような三角やねのお家《うち》につきました。

クーは、その前に一本足で立つと、かえるのおばさんに教わったとおり、歌いました。

「ラララ、リリリリ、ルルルル、ルルルル、ルルルル……」

すると雪のつもった三角やねのお家のドアから、キラキラのマントをきた、ちっちゃな小人の神様が、出てきて言いました。

「ガアガア、ガアガア、うるさいなあ」

クーはあひるなので、ラララ、リリリリ、ルルルル……、と歌っているつもりですが、神様にはガアガア……、としかきこえないようです。

「あっ、神様だ！」

クーはうれしくなって、大きな声で言ってしまいました。

神様のルルは30センチくらいで、かみのけもかおも手や足も銀いろにかがやいています。くりくりの目に、ピンクのほっぺ、神様とは思えない、幼《おさな》くて、かわいいすがたでした。そのわりに、しゃべり方は男っぽいのです。

「なんだ、おまえは、前にたきにおちた時、人魚姫に助けさせた、あひるのクーじゃないか」

神様は神様を信じている人を助けるのが仕事です。たきにおちた時、クーは心の底から、神様を信じて「神様、助けてください」とおいのりしました。

「クー、わざわざ、どうしてゆきんこ島まできたんだ」

ルルがそういうと、クーは雪の中にひざまずいて、いっしょうけんめい言いました。

「神様、お願いします。かえるのおばさんの病気をなおしてください」

「クーにもなにか、願いがあったんじゃ、なかったのか」

「ぼくはいいんです。おばさんの病気をなおしてください。じゃないとおばさんがしんじゃうんです」

クーは、おばさんのことばかり、神様のルルにお願いしました。

「よーし、わかった。じゃあ目をつぶって、ルルルル、ルルルル、ルルルル……

とずっととなえていなさい」

クーはルルの言うとおりにしました。
・・・・・・
（ここは、ぼくの池のお家？　ルルは？　いない）


「こんにちは」

「あっ、おばさん、体はもういいの」

げんかんにかえるのおばさんが、立っていました。

「これもみんな、クーちゃんのおかげよ。自分の願いは言わずに、わたしの病気がなおるように、神様にお願いしてくれたんだってね」

「よかったね。おばさんが助かってくれれば、ぼくの願いなんかどうでもいいもん」

「ありがとう、クーちゃん」

「だってぼく、たきにおち、しにそうになった時、人魚姫に助けてもらって、こうして生きてるんだもん」

「ほんとうに命があるということは、ありがたいことだね。クーちゃん、ありがとう。ほんとうにありがとう」

かえるのおばさんはなみだぐみながら、何度も何度も言いました。

「ぼく、泳ぐれんしゅうしてくる」

「そう、がんばっておいで」

クーは一本足で、ピョンピョンとびはねるようにして、いじめっこのあひるたちがいる大きな池に行きました。

「クー、いくらやってもムダだよ」

「そうだよ、おまえは小さいし、一本足だからな」

「れんしゅうしたっていみないよ」

いじめっこたちが口ぐちに言いましたが、クーはまけませんでした。

水に一本足をいれ、指の間のひれをひろげて、おもいきりうしろにかきました。

すると、わずかですが、体が前に進みました。

クーはもう一度やってみました。

こんどは、前よりずっといっぱい進みました。

(よし、この調子だ)

クーはそう思って、3回、4回、5回……と、どんどん一本足に力をこめて水をうしろへかきました。

「あっ、クーが泳いでる」

「ほんとだぁ、すっげぇ」

「泳いだ、泳いだ」

いつのまにか、かえるのおばさんが見にきていて言いました。

「クーちゃん、よくやったね。きっと神様はクーちゃんの人のことを思うやさしさを知っていて、願いをかなえてくれたんだろうね」

クーは、泳ぎながらニッコリ笑いました。

2…ごめんね

明日《あす》は、成美《なるみ》と、成美の弟の康介《こうすけ》が、今テレビでやっているヒーローショーに連れて行ってもらいます。

「ジャンプレッド、頑張《がんば》れー」

康介は、録画をしたビデオを見ながら、自分もなりきって、遊んでいます。

ビデオが終わると、康介は、成美に言いました。

「お姉《ねえ》ちゃんは、ジャンプマンの中でなにがすき？」

「成美はー、ジャンプイエロー。女の子でもあんなに強いし、かっこいいでしょ」

「ふうーん、お姉ちゃんは、そんなんがすきなんだ。ぼくは、ジャンプレッド！ひっさつわざの、『ジャンプ・キック』を決める時がかっこいいんだー」

康介は、ジャンプキーックと言って、成美に軽くあてました。

「痛《いた》っ！　何よ。成美だって、イエローのひっさつわざできるもん。ジャンプビーム。ビビビビビビー」

「レッドの方が強いよ。見せてあげるよ。お姉ちゃんが、ケビン星人《せいじん》だよ」

ケビン星人とは、地球をほろぼそうとする悪いやつらのことです。

「やだよ。康ちゃんがやれば？　成美が、イエローの強さ、見せてあげるからさ」

「ぼくも、やだね。ケビン星人なんかだいっきらい！　お姉ちゃんにピッタリだよー」

「康ちゃんっ！」

成美は、ムッとして、康介をどなりました。

するとこ康介は、なみだで目をうるうるさせて、大きい声で言いました。

「お姉ちゃんのバカー。だいっきらい！」

「ふんだ。泣き虫康介。成美も、康ちゃんなんか、だいだいだいっきらい！」

すると、康介は、顔を真っ赤《まか》にさせ、家だけでなく、おとなりの家まで、いいえ世界中にひびきわたる声で泣きはじめました。

その声を聞きつけたのか、お母《かあ》さんがやってきました。

「康ちゃん？　どうしたの？　お姉ちゃんにいじめられたの？」

康介は、あいかわらず泣いてばかりいます。

「成美、康ちゃんに謝《あやま》りなさい！　お姉ちゃんでしょ」

「やだ！　だって、最初にやってきたのは康ちゃんだもん」

成美も、泣きそうになっていました。

「でも、康ちゃんは、まだそれがやっていいことか、いけないことかが、わからないのよ」

「わかるよ！　たまには、康ちゃんも注意してよ！」

「成美！　いいかげんにしなさい。ホラ、康ちゃん、こんなに泣いているじゃない。お姉ちゃんでしょ？　ごめんねの一言が言えないの？」

「なによ！　康ちゃん、康ちゃんって、お姉ちゃんっていっても、康ちゃんは3才で成美は5才だよ！　こんなちょっとしか、ちがわないのに！　もう、康ちゃんもお母さんも、だいっきらい！　ヒーローショーも行かないからっ！」

成美も、とうとう泣きだして、玄関《げんかん》を出て行ってしまいました。

そして、走りだしました。お父《とう》さんのサンダルを、はいてきてしまったので、今にもぬげそうで、パタパタしています。

（みーんな、きらいっ）

どれくらい走ったでしょうか、成美が気がつくと、そこは、見たこともない町でした。

車がびゅんびゅん走っていて、大きなたてものが並《なら》んでいます。

さっきのなみだは、かわいていましたが、また、ちがう意味でなみだがでてきました。

道のまん中で泣いているので、道ゆく人は、成美に気づいたでしょう。ですが、ジロジロ見たり、無視《むし》するだけで、みんな行ってしまいます。

そこに通りかかったのは、ショーを終えたケビン星人でした。

ですが、成美は、全く気がついていないようです。

ケビン星人は、成美に近づいてきました。

成美は、まだ気づきません。

「どうしたの？」

成美は、声のする後ろをふりむきました。

「キャー」

それもそのはず、ケビン星人は、足が短く、口が成美の顔くらいあって、目がぎょろぎょろしています。そんな人に、いきなり、会ったら、だれだって、おどろきます。

「そんなに、おどろかないで。ぼくを、知っているのかい」

「ケッ、ケビン星人でしょ。ジャンプイエローをよぶよ」

「まって、そのかわり、ぼくのしつもんに答えて」

「しつもん？」

「そう、じゃあ、まず一つめ。名前を、教えてくれるかな？」

（こんな人に、教えていいのかな。お母さんに、知らない人としゃべっちゃダメっていわれてるし、ううん、もう、お母さんなんか、いいんだ）

「成美。みょうじは、山本」

「山本成美ちゃん、何才？」

ケビン星人は、メモをとりながら、しつもんしています。

「５才」

「住所は、わかるかな」

「たしか、くろしろ町の37番地」

「くろしろ町の37番地っと、そんな遠いところから……。どうして、泣いていたの？」

「それは……」

成美は、全部話しました。康介とケンカしたこと、家をとびだしたこと。

「そう、成美ちゃん？ もういちど、考え直してみよう。康ちゃんは、まだ小さいから、すぐに泣いてしまう。自分の感情《かんじょう》をコントロールすることができないからね。成美ちゃんも、そうだったでしょ。康ちゃんのことを、どなっちゃって、二人《ふたり》とも、自分の意見を通すことができなくて、ぶつかっちゃった。わかるかい？」

「うん」

「じゃあ、これからは、もっと康ちゃんと仲良《なかよ》くなれるよ」

「ケビン星人、だいきらいっていって、ごめんね。成美、康ちゃんにごめんねする。おうちにかえりたい」

「わかった。ぼくが、おくっていってあげる」

成美は、ケビン星人と、家に向かって、歩いて行きました。

家の前に着いた時、成美は、もう一度、ケビン星人に言いました。

「ごめんね。ありがとう」

ケビン星人は、何も言いません。

「!?」

うしろをふりむくと、ケビン星人は、もういませんでした。

「頑張って、成美ちゃん」

どこからか、声が聞こえたような気がしました。

玄関からは、康介の泣いている声はしませんでした。

成美が、おそるおそるドアをあけると、康介がとびだしてきました。

「康ちゃん」

「あー、お姉ちゃんが帰ってきたー。お母さーん」

「まって、康ちゃん、さっきはゴメン。成美がわるかったの」

「康ちゃんも、ごめんね。ケビン星人なんかみんなきらいだもんね」

「ううん、成美は、きらいでもないよ。なら成美がケビン星人やってもいいよ」

「ホント!?　お姉ちゃん」

お母さんが、二人の会話をいつのまにか聞いていて、ニコニコしています。

「二人とも、仲直りしたのね。お姉ちゃん、さっきは、お母さんも、言いすぎたわ。ごめんね」

「いーの、そのおかげで、ケビン星人もすきになれたしね！」

三人は、夕食の用意されている部屋《へや》に行きました。

今日《きょう》のメニューは、たけのこのたきこみごはん、イカとさといもの煮《に》もの、あさりのおみそしるです。

お父さんは、残業《ざんぎょう》なので、お母さん、成美、康介の三人で食べました。


「おはよー」

成美は、元気な声で言いました。なにしろ今日は、あんなに楽しみにしていた、ヒーローショーの日です。

康介もいつもより、はやくおきています。

いつもよりはやく朝食を済《す》ませると、車でヒーローショーをやる場所へと向かいました。

「あー、見えてきた！」

康介はもう大はしゃぎです。

ヒーローショーの会場に着きました。

空いているいすにすわると、すぐにショーがはじまりました。

周《まわ》りの子どもたちからは、「ジャンプレッドー、頑張ってー」という声が多く聞こえます。もちろん康介もです。

しかし、成美はちがいました。

「ケビン星人、頑張れー、まけるなー」

それにつられて、康介も、ケビン星人をおうえんします。

「ケビン星人ー、負けないでー」

二人の声は、ケビン星人には、とどきませんでした。負けてしまったのです。

「ケビン星人、負けちゃった。負けるなんておもわなかったよ」

「ぼくもおうえんしたのに」

成美と康介は、残念《ざんねん》そうに言いました。

すると、どこからか声が聞こえました。

「ありがとう」

二人のうしろには、ケビン星人が立っています。

「ケビン星人だー。あの、今まできらってて、ごめんね。これからは、おうえんするよー！」

康介は、友だちに話すみたいに言いました。

ケビン星人は、おじぎをして、手をふりながら去っていきました。

「ケビン星人は、悪い人じゃないんだね。だって、ありがとうって言ってくれたよ」

康介は得意《とくい》そうに言いました。

「あら、成美だって、そう思ったわ。それに、ありがとう、ごめんねが言える人は、悪い人じゃないでしょ」

成美も笑顔《えがお》でそう言うと、お母さんのところへもどりました。

3…ようこそ、ペットショップ☆ジャンプへ

飛田《とびた》さんは、ペットショップをしています。

かみの毛の長い、背《せ》の高い女の人です。

今日《きょう》は、とても風が強く、外にかけてある「ペットショップ☆ジャンプ」というかんばんが、ガタンガタンゆれて、今にも外《はず》れそうです。

(かんばんを中にいれた方がいいかな)

飛田さんは、外に出ました。

いりぐちのドアの少し上にかけてあるかんばんは、飛田さんの身長でも、せのびをしなくてはとれません。

飛田さんがせのびをした時です。

飛田さんがつけている、ミッキーマウスのついた赤いエプロンのすそを、ひっぱる人がいます。

見ると、ひっぱっているのは、同じ顔、同じ体、同じ身長の二人《ふたり》の女の子で、飛田さんのことを、じっと見あげています。

(この子たちは、何なのだろう。双子《ふたご》のようだけど……)

飛田さんが聞こうとするより早く、双子らしき女の子の一人が言いました。

「それ、とってあげる」

「え、え？　ありがと」

飛田さんが言い終わると、その子はびっくりするほど高くジャンプしました。

そして手でかんばんをゆらして、落とすと、もう一人の女の子が、そのかんばんを上手《じょうず》に受けとめました。

飛田さんは、その子たちの姿《すがた》をよく見ました。

服は、冬に着るような、あたたかそうなまっ黒いコートに、フードをかぶっていて、くつは、黒くて、ひざの上まであり、つま先が、くるんと、上に向いています。

飛田さんがじっと見ているので、女の子の一人が言いました。

「お姉《ねえ》ちゃんの名前は？」

飛田さんは、その声をよく聞いてみて、びっくりしました。

声が年のわりに大人《おとな》っぽいからです。

「飛田です。飛田まみ。あなたたちは？」

「姉のりえ、こっちが妹のりお。ま、双子だけど」

（やっぱり！　双子だ）

「さっきは、かんばんをとってくれて、ありがと。すごく高くジャンプができるんだね」

「ええ、あれは、簡単《かんたん》な魔法《まほう》だから問題はないわ」

しゃべっているのは、姉のりえの方です。

（ま、魔法!?　そんなことって……。まぁ、とりあえず、中にはいろう）

「りえちゃん、りおちゃん、さぁ、お店にどうぞ。今日は何をお探《さが》しですか」

「りお、言って」

「ええ、えっと、黒いねこが必要《ひつよう》なんだけど、ある？」

妹のしゃべり方は姉とちがって子供《こども》っぽいけれど、声はやはり、大人《おとな》みたいです。

「わかりました。子ねこにします？」

「ええ、子ねこでいいわ。できれば双子にできるかしら？」

「はい、黒い双子の子ねこですね」

飛田さんはそう言って、後ろを向くと、おくの部屋《へや》へ向かいました。

飛田さんは、かみの毛をポニーテールにしています。

りえとりおは、コートをぬぎました。

二人とも、ひらひらの黒いミニスカートをはいていて、おまけにふわっとふくらんでいます。

上に着ているのは、かたのところがふくらんでいる、こいピンク色をした服です。

しばらくすると、飛田さんがおくから二匹《ひき》の黒ねこを大切にかかえてもどってきました。

「連《つ》れてきましたよ。この二匹は、双子ですから、ご希望《きぼう》どおりだと思いますけど」

「ありがとう。ちょっとだけ、さわってもいい？」

りおが聞きました。

（あれ？　この子たちの服がかわってる。かわいいなあ）

「いいよ」

飛田さんは、そう言ってニャーニャー言う黒ねこ二匹を、りえとりおの手にわたしました。

「あたし、これにしようかしら」

「あたしも」

りえとりおは、黒ねこを飼《か》うことにしました。

「お礼に、簡単な魔法をつかってあげてもいいわよ」

(え!? うそでしょ、ホントに魔法がつかえるの……?)

「さあ、何がいい?」

飛田さんは困《こま》りました。

(どうしよう、とりあえず、何か考えよう。あ、そうだ)

「じゃあ、わたしのこのお店、最近《さいきん》お客が少ないから、もっと人がきてほしいの。だから、お客さんが、たーっくさんくるように、魔法をかけて」

「ええ、いいわよ」

飛田さんは二人に言われたとおり、紙に「お客さんがたくさんきますように」と書いてわたしました。

するとニ人は口のなかで、何やらじゅもんをとなえると、ジャンプして一回転しました。

すると、紙が、スッーと消えました。

「うまく魔法がかかったわ。じゃ、あたしたちは、これで帰りましょう。バイバイ」

「黒ねこたち、バイバイ」

二人はおのおの一匹ずつ黒ねこをだっこすると、飛田さんに手をふって、店を出ると、足からキラキラ光って、だんだんと消えていきました。

飛田さんは、一人考えました。

（本当に、お客さんがくるようになるかな）

風がやんできたので、飛田さんは「ペットショップ☆ジャンプ」のかんばんを外に出しました。

飛田さんのお店には売れ残《のこ》っている、かわいそうな犬やねこが、たくさんいました。

（早く飼い主が現《あら》われるといいんだけど……）

森に住んでいる魔法使いの双子の女の子、りえとりおに飼われた双子の黒ねこは、「ペットショップ☆ジャンプ」のせんでんのために、あちこちものすごい速さで、走りまわりました。

カランカラン。

まもなく、開くとベルがなる仕組みのドアが開きました。

お客さんがきたようです。

飛田さんは、うれしくて、思わずにっこり笑《わら》うと、ミッキーマウスのついた赤いエプロンのすそをひるがえしてジャンプしました。

そして、これから、いそがしくなりそうだわ、と思い、お客さんに向かって、元気よく言いました。

「いらっしゃいませ!」

4…こねこのゆめ

クーとフーは双子《ふたご》のこねこです。

ですが、二ひきとも似ているのは、目だけなのです。

クーは、炭《すみ》よりもえんぴつのしんよりも黒く、つやつやと光る毛が特徴《とくちょう》です。

フーは、紙よりも消しゴムよりも白く、フワフワとした毛が特徴です。

二ひきは、ポカポカとしたあたたかい太陽の下で、毛なみを整えています。

「ねえ、フー、あの空たかくうかんでる雲の上で、遊びたくない？」

「そんで、フワフワのお布団《ふとん》みたいな雲の上でねるのね」

二ひきは、そんなことを言っているうちに、うとうととして、ねむりにおちました。

はじめに目が覚《さ》めたのはフーでした。

「う？　あれ、広ーい！　クー、おきてよ、おきてっ！」

「なあに、フー、うるさいぞ。せっかくいい気持ちでねてたのに」

「ほらみて、おっきな綿《わた》あめの上にいるの、わたしたち！」

フーは、手をぐーんと大きく広げて、クーに説明《せつめい》しました。

クーは、あたりをみまわし、目をこすってから言いました。

「ちがう。綿あめじゃない、雲の上なんだ！　ここは雲の上さ」

「えっ、雲の上？　ゆめかしら」

　フーがほっぺをつねりながら言うと、雲の上にさらに雲がもくもくでてきました。

　二ひきは、そのもくもくでてきた雲の上をとびはねたり、ころがったりして遊びました。

「フー、なんだかねむくない？」

「ううん、わたしはへいき。あー、太陽さんがあんなに近くにいるよ」

「ほんとうだ。地面の上からみるのより、立派《りっぱ》だねえ」

　すると太陽がしゃべりだしました。

「やあ、君たち、いつもここから、みていたよ。クーちゃん、フーちゃん、はじめまして。よろしく」

「よろしく」

「よろしく」

　二ひきは、太陽とお話をしているうちに、なかよくなりました。

それから二ひきと太陽は、にらめっこをしたり、かくれんぼをしました。

にらめっこは、太陽は、にこにこ笑《わら》うくせがあるので、クーとフーにすぐに負けてしまいました。

かくれんぼは、必《かなら》ず太陽がおにでした。

クーは黒い雲の間に、フーは白い雲の間にかくれると、なかなかみつかりません。反対だとすぐみつかってしまいました。

「さあ、そろそろお帰り。遊んでくれたお礼に、白のペンダントをクーちゃんに、黒のペンダントをフーちゃんにあげよう」

「わあ、ありがとう」

「このペンダント、太陽さんのにおいがして、あったかーい」

ペンダントは、太陽の形をしていて、すべすべとしたなめらかなさわりごこちで、見ているだけで、あたたかくなれるような表情《ひょうじょう》がえがかれていました。

「太陽さん、また遊びにきてもいいよね」

「もちろん、ペンダントは本物だよ」

「ん？　どういうことだろ？」

「うーん」

二ひきは、太陽の言った意味がわかりませんでした。

いつのまにか雲が、太陽をかくしてしまいました。

「ファー、フー」

「ムニャ、クー」

「太陽のペンダント！」

二ひきは、同時に言って、首に下げてあるペンダントをみました。

太陽の言っていた意味がわかったみたいです。

「フー、楽しかったね」

「うん、また雲の上から太陽さんに会いたいな。そんでまた、にらめっこと、かくれんぼをするの」

二ひきは、ペンダントを空たかくもちあげました。

また、雲のすきまから太陽が顔をだしました。その顔はまるで笑っているようでした。

こねこのゆめの中の太陽とおんなじ顔でした。

5…みっちゃんのてるてる坊主《ぼうず》

みっちゃんは、みどりようちえんのちゅうりっぷ組の年中さんです。

おかえりのしたくをしていました。

かばんに、れんらくちょうをいれようとしたときでした。せんせいが言いました。

「ハーイ、あしたはみんながたのしみにしていたえんそくです」

少し、さわがしくなりました。

「わすれものがないように、よくたしかめてきてくださいね。じゃあ、今日《きょう》はこれでおしまいです」

せんせいがいうと、みんなげたばこの方へ向かっていきました。

「みっちゃーん。いっしょにあそぼ！」

ゆみちゃんです。

みどりようちえんでは、おむかえがくるまで、えんていであそんでいてもいいのです。

「うん！」

ふたりは、砂場《すなば》の方へ歩きだしました。

「お山をつくろうか」

「いいねー」

砂場でお山をつくりながら、みっちゃんとゆみちゃんは、こんな話をしていました。

「あした、はれるかなあ」

「きのう、天気予報《よほう》を見たんだけどね、雨だったの」

ゆみちゃんがきくとみっちゃんは少しさびしそうに言いました。

「みおちゃーん、ゆみこちゃーん、おむかえがきましたよ」

ふたりは、あしたの雨を気にしながらわかれました。

車でおむかえにきたお父《とう》さんは、みっちゃんのさびしそうな顔を心配して、言いました。

「みっちゃん、元気ないね。ぐあいでも、悪いの？」

「ううん、なんでもないよ。あっ、それより、えんそくのおかし、買いにいこうよ！」

お父さんは、ほっとしたように言いました。

「じゃあ、お母《かあ》さんにでんわしようか」

そう言うとお父さんは、お母さんにでんわしてから、近くのスーパーに行きました。

お店に入ると、れいぼうでひんやりとつめたい空気だったので、みっちゃんはぶるっとみぶるいしました。

「お父さん、はやく、はやく、おかしのところ、いこ！」

お父さんは、みっちゃんに手をひっぱられながら、おかしコーナーへ行きました。

「みっちゃん、なんのおかし買うの？」

「あのね、あっ、コレ！　このチョコのやつとねえ。うーんと、このビスケット！」

みっちゃんは、かなり考えましたが、この二つになりました。

「みっちゃん、おかしは、これだけでいいの」

「ウン！　いい。もうお金をはらうところへ行って」

ふたりは、おかしを買うとまた、車にのって、おうちに帰りました。

「たっだいまぁー！」

みっちゃんがげんきよく言うと、すぐに出てきたのが犬のハナです。

「みっちゃん、えんそくのじゅんびしようか」

　お母さんです。

「ハーイ、ほら、おかしも買ってきたよ」

「あら、ずいぶん少ないねえ。うちにあるおかしを、ちょっと持っていけばいいわ」

　お母さんはそう言うと、おかしのたなから、あめとポテトチップをだしました。

「ほら、みっちゃん、これも持っていって、みんなでたべてね」

「わーい！　お母さん、ありがとう」

　さっそくみっちゃんはリュックにつめはじめました。

「おべんとうと、おしぼりと、すいとうは、あしたね」

「あーあ、あしたがはやくきてくれないかなあ」

　みっちゃんはそう言うと、テレビをつけました。

　ちょうど天気予報をやっています。

「あしたは、関東《かんとう》地方を中心に、激《はげ》しい雷雨《らいう》になるおそれがあります。あしたは一日中雨になるでしょう。天気予報でした」

「ねぇ、お母さん、『はげしいらいう』ってなに？」

「あしたは、とってもつよい雨と雷《かみなり》ですよってこと。そうだ、みっちゃん、お母さんといっしょに、てるてる坊主つくろうよ」

「てるてる坊主？　いーよ！　つくろう」

「みっちゃんの着られなくなった下着があるから、それつかおうか」

みっちゃんとお母さんは、てるてる坊主をつくりました。

大きいのを三つと小さいのを二つつくりました。

「てるてる坊主さん、てるてる坊主さん、お願《ねが》いです。あしたの天気をはれにしてください。えんそくに行けるようにお願いします」

みっちゃんは、まどぎわのカーテンのところにぶらさげて、おいのりしました。

「みっちゃーん、ごはんよ！」

「はぁーい」

今日《きょう》のみっちゃんちのごはんは、カレーライスと、野菜《やさい》サラダです。

「あっ、今日はみっちゃんのすきなカレーライスじゃないか。よかったねえ」

部屋《へや》に入ってきたお父さんは、カレーのにおいがしたので言いました。

「あしたのえんそくでいっぱいあるけるように、たっぷり具をいれたよ。なにを入れたのか、全部わかるかなー？」

お母さんは部屋に入ってきたみっちゃんに言いました。

「いただきまあーす！　うーんと、にんじんでしょ、じゃがいも、たまねぎ、お肉、なす、いんげん、ん？　これは……」

「それはねぇ、キノコだよ」

「へぇー、すごくおいしい！」

みっちゃんはぺろりとたべてしまいました。

「ふー、おいしかった。お母さん、またつくってね」

そう言うと、おふろに入りに行きました。

おふろでもあしたはれるようにおいのりしました。

おふろから出たみっちゃんは、テレビを見ていましたが、うとうとしてきたので、はみがきをして、ふとんに入りました。

みっちゃんは、えんそくのことを考えはじめて、なかなかねむれなくなってしまいました。

「おべんとうの具はなにかなあ？　たまごやきがいいなあ。ゆみちゃんとなにしてあそぼうかな。ゆみちゃんのおやつはなにかなあ。とりかえっこしたいな。てるてる坊主さん、ほんとにあした、はれにしてくれるかなあ。お願い、てるてる坊主さん……」

みっちゃんは、いつのまにかねていました。

もう夢《ゆめ》の中です。

みっちゃんは、お気に入《い》りのリュックをしょっています。

げんかんのドアをあけ、外に出ました。

「わー、雨がふってるーーー」

みっちゃんは、家の中に向かって、お母さんをよびました。

「お母さん、お母さーん！　雨、雨がふってるの」

家の中からはへんじがありません。

（おかしいな）

みっちゃんが思った時、庭の方から音がしました。

ぴちゃん！　ぴちゃん！

大きな水の音がしました。

「ヒヒヒヒ～」

その声は水たまりの中から聞こえてきます。

「ヒヒヒヒ～」

「この声は、なにかしら」

みっちゃんがそう言うと、その声は正体《しょうたい》を現《あら》わしました。

真っ黒くて、口が大きくて、目がつり上がっていて、みっちゃんをふたり合わせたぐらいの大きさです。

「きゃー！」

「えんそくになんかいかせないもんネー！　今日は一日雨だゾー！」

おばけはそう言うと、みっちゃんにおそいかかろうとしました。

「まてー！」

そう言ってそこに現われたのは、なんとみっちゃんがつくった大きいてるてる坊主三体と小さいてるてる坊主二体でした。

「あっ！　あたしがつくったてるてる坊主だわ」

するとてるてる坊主たちはくるくるまわりながら、一つの大きなてるてる坊主に変身《へんしん》しました。手も足もあります。

「ジャマをするな！　どけどけ、そこのてるてる坊主め！」

「みんなが楽しみにしているえんそくを　だめにしてたまるか！」

「うるさいっ！」

おばけはそう言うと、てるてる坊主にとびかかってきました。

ですが、てるてる坊主は、ガシッとつかむと投げとばしました。

おばけの顔はさっきよりもっとこわくなりました。

そしてまた、てるてる坊主にとびかかってきました。

ですが、やっぱりおばけのうでをガシッとつかむと、さっきよりもっと強く投げとばしました。

「ギャオー」

「わからないやつだな。とどめだ！　てるてるキック！」

てるてる坊主はおばけにさいごの一発をきめました。

するとおばけは、はれつして、とびちりました。

おばけは、どろのようになってしまいました。

そのどろが、てるてる坊主のほっぺにひとしずくはねました。

すると、あっというまに空がはれてきました。

「みっちゃん、みっちゃん」

お母さんの声です。

「今日は、えんそくよ。おべんとうもできてるわよ」

みっちゃんは、カーテンをあけてみました。

とってもいいお天気です。

「わーい。はれた、はれた!」

そして、ふとてるてる坊主に目をやると、てるてる坊主たちのほっぺにどろのシミがついていました。

「てるてる坊主さん。本当に雨のおばけをやっつけてくれたのね。ありがとう!」

みっちゃんはニコニコ笑《わら》いました。

てるてる坊主たちもニッコリ笑っているようでした。

さあ、えんそくへ行こう。

6…ほかほか！　フレンチトーストをめしあがれ！

りこちゃんは、保育園《ほいくえん》のさくらぐみです。
あしたは、りこちゃんのママのおたんじょうびです。
りこちゃんは家に帰ると、プレゼントを何にしようか考えはじめました。

「ママって、何がすきなのかな」

りこちゃんは、あれこれ考えました。

「りこちゃん、ごはんよー」

「はぁーい」

りこちゃんは自分がおなかがすいていることもわすれていたようでした。

今日《きょう》のごはんは、りこちゃんのすきな、カレーライスとサラダです。

「じゃあ、りこちゃん、たべましょ」

「いただきます」

りこちゃんは、半分くらい食べると、スプーンをおきました。

「あら？ りこちゃんどうしたの？ おなかいっぱいになっちゃった？」

「ごちそうさま」

りこちゃんは部屋《へや》に行くと、大切にしているうさぎのぬいぐるみのホイップが

いないことに気がつきました。

「ホイップちゃん、どこ？　どこ？」

りこがさがしはじめたときです。

（りこちゃん、ここだよ、ここ）

どこからか声がしました。

「ホイップちゃん？」

（りこちゃん、ママのおたんじょうびには、何か、お料理《りょうり》をつくってあげようよ）

「う、うん、ホイップちゃんといっしょならつくる……」

（じゃあ、つくろ！　おうちにあるもので、つくろう。たまごと食パンと牛乳《ぎゅうにゅう》、あと、バターとお砂糖《さとう》があるわ。これならフレンチトーストができるわ）

「フレンチトースト！　前、ママが1回だけつくってくれたから、味は知ってるよ！」

りこちゃんは、うれしくてはしゃぎました。

（つくり方を説明《せつめい》するね。まず、ボールに卵《たまご》1個《こ》を入れてときほぐしてね。お砂糖大さじ2と牛乳4分の3カップをボールに入れて、卵とよくあわだて器《き》でまぜよう。次に、2枚《まい》の食パンを4等分して、バットにならべて、さっきつくった卵、砂糖、牛乳が入った液《えき》を入れて食パンにしみこませてね。よーくしみこんだら、フライパンにバターをとかして、パンを焼《や》いて。その時、火は弱火でね。いいにおいがして、茶色っぽくなったら、お皿に盛《も》りつけて、でき上がり！　簡単《かんたん》でしょ？　りこちゃんにもつくれるね）

ホイップは、自分でつくりながら説明しました。

「りこちゃん、りこちゃん、こんなとこでねてたら、カゼひくよ。おきて」

「う、うーん、あれ？　ホイップちゃんは？」

「ここにいるわよ、どうかした？」

「あのね、ホイップちゃんが、フレンチトーストで、卵が1個で……」

「もう今日は、おそいわ。ベッドでおふとんかけてねようね。おやすみ」

ママは、夢《ゆめ》のはなしだと思って、りこちゃんをねかせました。

「う、うーん、ホイップちゃん……」

次の日です。

今日は、保育園はお休みです。

「りこちゃーん、おきる時間よー」

「はぁーい」

りこちゃんはまだねむそうでしたが、きのうの、ホイップとのことを思うとわくわくしました。

「おっはよー！　おなかすいたな」

「りこちゃん、悪いけど、おねぼうパパを起こしてきてくれる？」

「はーい！」

りこちゃんは、とってもはりきっていて、いろんなお手伝《てつだ》いをしました。

朝食の時間です。

「お手伝いしたから、おなかすいたでしょ？」

「うん、きのうも夕ごはんちょっとしか食べなかったし。あっそうだ。あのさあ、今日のお昼ごはん、りこがつくってもいーい？」

「りこちゃん今日はエライネェ。ママのたんじょうびだからかな？　ウフフ」

そうと決まれば大急ぎ！　りこちゃんは朝ごはんをちゃちゃっとすませて、おかたづけまではじめました。

おねぼうパパは、まだ、ねむそうに、朝食のパンをもそもそ食べていました。

「りこちゃんを見習って、パパも早くする！」

ママは、大喜《おおよろこ》びです。

りこちゃんはというと、さっそくタンスから、エプロンとバンダナをひっぱり出してみたものの、つけ方がよく分かりません。

「りこちゃん、わたしが教えてあげるわ」

「あれ？　ホイップの声が、夢じゃないのに聞こえる……」

「わたし、じつは、スイーツ王国のプリンセスなの。スイーツ王国は、世界中にただ一人の夢の中に現《あら》われるのよ。それがりこちゃんだったってことは、りこちゃんがスイーツ王国の代表である、スイーツ作りの名人にならなくちゃいけないわ。わたしがいろいろ教えるから、名人をいっしょにめざしてくれないかしら？　りこちゃん」

「えっ、食べるのはすきだけど……。うーん、でも自分でおいしいおかしがつくれるのもうれしいから……。うん、りこ、やる！」

「そうと決まれば、変身《へんしん》するわ」

ホイップが、小さな缶《かん》を出すと、その中から、カラフルなキャンディーがでてきました。

ホイップは、そのキャンディーを一つ、口の中に入れました。

するとホイップの体はみるみる大きくなって、なんとりこちゃんよりお姉さんの人間《にんげん》の女の子になりました。

年は、15、16、17才のそのあたりでしょう。

顔は、ホイップの顔のとくちょうが少しずつでていて、とても美人です。

りこちゃんは、目をまんまるにして、おどろきました。

「さありこちゃん、りこちゃんも、エプロン着て。バンダナもまいて」

ホイップは、そう言うと、りこちゃんにエプロンを着せて、バンダナをつけてあげました。

「わぁ、お料理、してみたくなってきた」

りこちゃんは目をかがやかせながら言いました。

ポッポ　ポッポ　ポッポ　ポッポ

ポッポ　ポッポ　ポッポ　ポッポ
ポッポ　ポッポ　ポッポ。

時計《とけい》のはりが、11時をさして、はとが11回なきました。

「さあ、フレンチトーストを、つくりに行くわよ！」

「うん、がんばる」

りこちゃんは、ママたちに、手伝わないでね、と一言だけいうと、ホイップといっしょに、キッチンに入りました。

ママは、ホイップが、話せることも知らないし、変身のことも知りません。もちろん、ずっとひみつです。

さっそくフレンチトースト作り、スタートです。

「ボールを用意して、わたしは卵とお砂糖と牛乳の量《りょう》を調整《ちょうせい》するわ」

ホイップは手順《てじゅん》よくお砂糖と牛乳をはかりました。

一方りこちゃんは、ボールをさがしながら、キッチンのテーブルのすみにぶつかって、すごい音をさせました。

「あらまあ。りこちゃん、平気？　ボールはこれ。ハイ、牛乳とお砂糖、はかったからね」

「あー、ホイップちゃん、ごめんなさい。りこ、がんばる！」

「じゃあ、ボールにたまごをわって入れて。カラを入れないように気をつけて」

コンコン。

ピシャッ。

「ふぅ、できた。次は、たしかお砂糖と牛乳を入れて、まぜるんだよね」

「そう。よく覚《おぼ》えてたわね。で、よーくまぜて……。次は食パン一枚を4等分するの。ほうちょうには、気をつけて」

「ねぇ、ホイップちゃん、4等分って何？」

「4等分っていうのは、4つにわけることよ。2等分なら2つにわけること」

「そうなんだー。4つに切って……、できた」

「次は、ここに出ているバットにパンをならべて、はじめにつくった卵、お砂糖、牛乳の液を10分ほど入れておこうか。そのくらいでしみこむと思うわ」

10分後。

「よくしみこんでるー。次は、えーと焼くんだ！」

「フライパンにバターをのせて、弱火でとかしてね。で、液のしみこんだパンをフライパンにのせて焼いていくよ」

ジュー　ジュー。

「うーん、いい音、それといいにおい！　ねえ、ホイップちゃん、そろそろい？」

「うーん、ええ、いいわ」

二人《ふたり》は、完成《かんせい》したフレンチトーストをうさぎ形に切って、いちごジャムをのせました。

「お母《かあ》さん、おたんじょうびおめでとう！　りこから、フレンチトーストのプレゼントだよ。あつあつのできたてがおいしいよ！　食べて、食べて」

「おいしそう！　りこちゃん、すごーい。いただきます。うん、味もお母さんが作るのよりおいしいよ。また作ってね」

「うん！」

りこちゃんは、少しお料理に自信《じしん》がつきました。果《は》たして名人になれるでしょうか。

7…ぷるぷる！　カスタードプリンをめしあがれ！

りこちゃんは保育園《ほいくえん》のさくらぐみです。

えんていであそぶ時間になりました。

りこちゃんは、いつものように元気いっぱいで、あそんでいました。

そんな中、砂場《すなば》のすみっこで、じーっとしている子がひとりいました。

りこちゃんは、その子を遊びにさそうことにしました。

「みゆちゃん、どーしたの？ みんなであそぼうよ！」

「あのね、みゆ、ひっこしするの」

その話を聞くとそばの子たちは、いっしゅんしずかになりました。

「え？ みゆちゃん、おひっこし、しちゃうの？」

りこちゃんは、もういちどみゆちゃんに、聞きました。

「うん、そうなんだ、ほいくえんもかわっちゃうからね」

みゆちゃんが言った時、お部屋《へや》に入る笛《ふえ》の音がしました。

「ピ――――、もうお部屋に入ってね」

お部屋に入ると、今度は、お絵かきの時間です。

いつもなら、ケーキの絵や、クッキーの絵など、スラスラとかくりこちゃんですが、今日《きょう》は、みゆちゃんのことが気になって、なかなかかく気にはなれませんでした。

そんな気もちのまま、お帰りのじかんになりました。

りこちゃんは、あることを思いつきました。

みゆちゃんのお別《わか》れ会をするのです。

おうちに帰るとさっそく、うさぎのぬいぐるみのホイップとお話しました。

「ねぇ、みゆちゃんのお別れ会をするんだけど、何かつくれそうなおかし、ある？」

するど、ホイップちゃんは、話しはじめました。

「うん、プリン、なんかどうかな？　このあいだ、お母さんのおたん生日《じょうび》につくったフレンチトーストより、ちょっとだけむずかしいけど」

「うん！　プリンなら、おいしいから、みゆちゃんもきっとよろこんでくれるね」

「じゃ、プリンに決まりね」

りこちゃんとホイップちゃんは、さっそくプリンづくりのための材料《ざいりょう》を買いに行きました。

もちろん、ホイップちゃんは、人間に変《か》わりました。

「えっと卵《たまご》は、おうちにある。牛乳《ぎゅうにゅう》とお砂糖《さとう》もある。買う物はバニラエッセンスとバターだけね」

りこちゃんはバニラエッセンスとバターをかごに入れて、お金をはらいました。

次の日、りこちゃんはみゆちゃんにお別れ会のしょうたい状《じょう》をわたしました。

『みゆちゃんへ。

あした、みゆちゃんのお別れ会するから、来てね。

りこ』

このしょうたい状をよむとみゆちゃんは、あしたがまちどおしくてたまらなくなりました。

りこちゃんはというと、ホイップちゃんといっしょにプリンづくりの用具を出しました。

そしてあしたにむけて二人は、レシピのかくにんをしました。

「えっと、最初《さいしょ》にやっておくことはプリンの型《かた》にバターをうすくぬることと、カラメルソースをつくることね。それができたら卵をときほぐして、砂糖、牛乳、バニラエッセンスとまぜる。そしてさっきつくったものを茶こしでこしながら、プリン型にながしこむの。そしたらむし器《き》で20分くらいむして、できあがり。どう、かんたんでしょ？」

「うん、かんたんだし、りこにもつくれそう。あしたが楽しみだな」

りこちゃんはあしたのことを考えながら、うとうとねむりました。


次の日です。

りこちゃんが起きた時、うさぎのぬいぐるみのホイップは、もう起きていました。

「あ、おはよう、りこちゃん。今日はがんばってね。もちろんわたしもてつだうからね」

「うん、ありがと」

みゆちゃんは、11時ごろ、りこちゃんの家にきます。

りこちゃんは起きて、朝ごはんを食べてすぐにエプロンを着ました。

「よし！　そろそろつくろうかな」

「じゃあ、変身《へんしん》するね」

ホイップは人間に変身しました。

「道具と材料は、出してあるよ」

「はじめに、バターを、プリン型にぬるんだったよね」

りこちゃんは、バターを持ってプリン型にぬりはじめました。

「あんまりたくさんぬらなくっていいのよ」

「次はー、カラメルソースづくりだね。これはホイップちゃん、よろしく！」

「じゃあ、りこちゃんは、卵をボールの中に入れて、砂糖と牛乳とバニラエッセンスをまぜ合わせて、茶こしでこして、プリン型に入れる。ここまで、できるかしら？」

「うん、ちょっとむずかしいけどやってみる」

二人は、自分の仕事をあっという間にやり終わりました。

「あとはむし器でむすだけだね」

「むしている間、お手紙でもかこうか」

りこちゃんとホイップちゃんは、みゆちゃんにお手紙をかきました。

20分後……。

「できた――！」

「じゃあ、みゆちゃんがくる前にひやしておこう。れいぞうこにいれるね」

そして11時になりました。

ピンポーン。

「あっ、みゆちゃんがきた――」

りこちゃんが、げんかんの戸をあけると、ちょっとおしゃれをしたみゆちゃんが、にこにこしながら立っていました。

「じゃあ、中に入って。今、りこからのプレゼントを持ってくるから、そこのお部屋にいてね」

そう言って、急いでホイップちゃんにプリンを出してもらい、みゆちゃんのいる部屋に行った時でした。

ガッシャー――ン。

急いでいたのか、りこちゃんは、転《ころ》んでしまいました。

ひじを痛《いた》くしましたが、りこちゃんはプリンをはなしませんでした。

そこへ、みゆちゃんがきました。

「りこちゃん、だいじょうぶ？」

「あっ、みゆちゃん、へいき、心配しないで。プレゼント持っていくよ」

りこちゃんは、みゆちゃんといっしょにお部屋に行きました。

「みゆちゃん、あのー、これ、りこがつくったプレゼントのプリンなの。でも、さっきころんじゃったら、形がくずれちゃって……」

「ありがと、りこちゃん、食べていい？」

「え？　くずれてるけど……」

「いただきま――す」

みゆちゃんは、ひと口食べました。

するど、みゆちゃんの目から、なみだがでてきました。

「みゆちゃん、なんで泣《な》くの。プリン、おいしくなかったの？　ごめんね」

「ううん、プリン、すっごくおいしい。はじめてだよ、こんなプリン。みゆのためにつくってくれたって思うと、うれしいけど、もうお別れだから悲しくって、グスッ……」

その先は、みゆちゃんもりこちゃんも、泣いてしまって話すことができませんでした。
ホイップちゃんとかいたお手紙も、わたしわすれてしまいました。
中にはこうかいてありました。
「みゆちゃんへ。
りこのプリン食べてくれてありがとー♡
今、りこは、おかしをいっぱいつくれるようになるために、がんばってます。
みゆちゃんも、がんばってね。
おかしづくりの名人になったら、りこのおかし、いっぱい食べてね😊
それではげんきでね。
りこより」
でも、この手紙は、ホイップちゃんにあずかってもらうことにしました。
りこちゃんとホイップちゃん、ふたりのおかしづくりはまだ続《つづ》くようです。

8…不《ふ》思《し》議《ぎ》な本

ふつうの町のふつうの家に、ふつうの子供部屋《こどもべや》があって、お兄《にい》ちゃんの清太《きよた》くんと妹のマリ子ちゃんが、けんかをしていました。

「その本、わたしがかってもらったんだよ」

「ちがうよ、ぼくがかってもらったの」

「わたしの」

「ぼくの」

そして最後《さいご》に清太くんが、マリ子ちゃんをぶって泣《な》かせてしまいました。

清太くんは、本を持って部屋をとび出して行きました。

マリ子ちゃんは、ずっと部屋で泣いていました。

清太くんは公園に来ると、ベンチにこしかけて本を読み始めました。

すると不思議です。その本の中にマリ子ちゃんが出てきて、にこにこ笑《わら》いながら、おいしそうにおかしをたべているのです。

クッキーもあります。シュークリームもあります。ショートケーキもあって、どれもこれもおいしそうなのです。

清太くんはツバをゴクンとのみこんで、本をとじて、走ってお家に帰り、いそいで子供部屋へ入って行きました。

すると妹のマリ子ちゃんが、机《つくえ》の前でまだ泣いていました。

おかしはどこにもありません。

「マリ子、おかしをどこへかくしたの」

「しらない。それよりお兄ちゃん、あたしの本かえしてよ」

清太くんが聞くとマリ子ちゃんは、泣きながらそう言って、手をのばしました。

「いやだよ、これ、ぼくのだもの」

清太くんはそう言って、また外へとび出して行きました。

そしてさっきの公園のベンチで、本をひらきました。

するとこんどはマリ子ちゃんが、楽しそうにテレビゲームをして笑っていました。今までに清太くんがやったこともないおもしろそうなゲームです。

「うわっー、ぼくもやりたい」

と清太くんは思いました。

それでいそいで家に帰り、子供部屋に行ってみると、そこにはテレビゲームはなく、前と同じように、マリ子ちゃんが泣いていました。

「マリ子、テレビゲームは？」

「なに言ってるの。わたし、しらない。それより本かえしてよ」

清太くんは泣きじゃくりながらそう言った妹をみて、またまた外へとび出して行ったのです。

「なんだか不思議だなあ」

清太くんはひとりごとをいいながら、公園のベンチで、おそるおそる本をひらきました。

これで三度目です。

こんどはマリ子ちゃんは机にむかって宿題をしていました。問題がむずかしいのでしょうか、泣きながらやってます。

いいえ、そうではありません。

マリ子ちゃんはノートに次のように書いていたのです。

「お兄ちゃんのバカ、お兄ちゃんのバカ、お兄ちゃんのバカ、お兄ちゃんのバカ、お兄ちゃんのバカ、お兄ちゃんのバカ……」

清太くんはそれを見ていると、本当にはらが立ってきました。

郵　便　は　が　き

104-0061

おそれいりますが
切手をお貼りください

東京都中央区銀座1-21-7-4F

㈱ 銀の鈴社

鈴《すず》の音《ね》会員 登録係　行

お客様の個人情報は、個人情報保護法に基づく弊社プライバシーポリシーを遵守のうえ、厳重にお取扱い致します。今後弊社からのお知らせなどご不要な場合はご一報いただければ幸いです。

「鈴の音会員」（会費無料）にご登録されますと、アート＆ブックス銀の鈴社より、会報誌「鈴の音だより」や展覧会イベントなどのご案内をお送りいたします。この葉書でご登録の方には、もれなく野の花アートの絵はがきを一葉プレゼントさせていただきます。

ふりがな	生年月日　明・大・昭・平
お名前 （男・女）	年　月　日
ご住所　（〒　　　）Tel	
情報送信してよろしい場合は、下記ご記入お願いします。	
E-mail	Fax　－　－

アンケートにご協力ください

◆ご購入の商品名・書名は？

◆お求めになられたきっかけは？

□お店で（店名・場所：　　　　　　　　　　　）

□知人に教えられて　□プレゼントで　□ホームページで見て

□その他（　　　　　　　　　　　　　　　　　）

◆ご興味のある項目に○をおつけください（資料をお送りいたします）

□ブックス（□絵本　□児童書　□一般書）

□本のオーダーメイド（自費出版）

（研究書・歌集・句集・詩集・記念誌・画集・旅行記・自分史など）

□アート（□ミュージアムグッズ　□原画展などのイベント）

□ヨーロッパ製子ども用品「TimTam」

□テーマのある旅（□海外　□国内）

□その他（　　　　　　　　　　　　　　　）

◆その他、ご意見・ご感想をぜひお聞かせくださいマリ子のやつ、ぼくにないしょで、おかしをたべて、テレビゲームをして、こんどはぼくのことをバカ、バカ、バカといっぱい書いている、と思ったのです。

清太くんはもうゆるせないと思って、家へかけつけ、ドシドシと子供部屋に入って行きました。

「おい、マリ子、お兄ちゃんをバカにするな。もうゆるさないぞ……」

清太くんが部屋へ入るなりどなると、マリ子ちゃんはやっぱり泣いているのでした。

マリ子ちゃんの机の上にはノートが広げてありましたが、そこには算数の宿題の計算がしてあるだけでした。

清太くんは、つっ立ったまま泣いている妹のマリ子ちゃんを見て、なにがなんだかわからなくなってしまいました。

ただマリ子ちゃんが、ずっと泣いていたことはたしかなので、かわいそうに思いました。

「マリ子、ごめん、この本、返す」

「ほんとう、ありがとう、お兄ちゃん」

清太くんがそう言って本を返すと、マリ子ちゃんは泣きやんで、にっこり笑いました。

「この本、なんだか不思議なんだ」

清太くんがそう言うと、マリ子ちゃんが元気をとりもどした大きな声で言いました。

「だってこの本、わたしのだから、わたしの味方なの。本は読む人のこころによって、どうにでも読めるんですもの」

9…さかさま世界の少女

ある国に、メリーという名前の少女がいました。

目のまわりにソバカスがあるので、それをちょっぴり気にしていました。

かみの毛は金ぱつで三つ編《あ》みにしています。

何でも自分でやりたがる性格《せいかく》ですが、少しおっちょこちょいでした。

家は農家です。

お母《かあ》さんが買物に行っていた時のことです。

メリーはせんたくをしようとして、たくさんのせんたくものを、せんたく機《き》に入れました。

しかしTシャツとエプロンが中に入らないので、全身の体重をかけて上からぎゅうぎゅうおしました。

知らないでスタートボタンをおしてしまったのでしょうか、突然《とつぜん》、せんたく機がまわりだして、メリーは中にすいこまれてしまったのです。

「キャー、たすけて〜」

メリーはグルグルまわりながら、気を失《うしな》ってしまいました。

「ああ、もう、なんだったんだろう、今のは……、あっ！」

メリーがビックリして、その時、見たものは……さかさまの世界です。

家がさかさまに建《た》っていました。

木も電信柱《でんしんばしら》も火の見やぐらも、みんなさかさまです。

「あれれれ……」

人々《ひとびと》がみんな、さか立ちしていました。

メリーは、また頭の中がグチャグチャになって、気ぜつしてしまいました。

「だいじょうぶですか? あっ、目を開けてくれた。よかったー」

しばらくして、やさしいきれいな声によびかけられて、メリーは目をあけました。

目の前にまんまるなお日様みたいな顔をした少女が、ヒラヒラのいっぱいついたお姫様《ひめ》のようなお洋服を着て立っていました。

けれどもそれはだいぶよごれていました。

「あ、あなたは、さかさまじゃないの?」

「そうよ、この世界の人、みんながさかさまってわけじゃないの」

メリーが、少しおびえたように言うと、その女の子はやさしく言いました。

「それより、ちょっとわたしの家で休んでお茶でものんでったら？　あなた、そう言えば、お名前、聞いてなかったわね。わたしはサンよ」

「えーと、わたしはメリーといいます」

サンがニコニコ笑《わら》って言ったので、メリーは今度はおびえないでしっかり言いました。

「じゃ、メリーちゃん、わたしの家は、この坂道の下よ。だいじょうぶ？　歩ける？」

「はい、なんとか歩けます」

メリーとサンは、ゆっくりゆっくり、坂道を下りていきました。

サンのお家《うち》は、とがった屋根が空にたくさんつきだしている古いお城《しろ》のような大きなお家でした。

家の中に入ると三日月みたいな細い顔の、王子様のようなかっこうをした小さな男の子が出て来て言いました。

「わちにんこ。すでンームはくぼ」

男の子の言葉は意味不明《ふめい》でした。

「この子はね、『こんにちは（わ）。ぼくはムーンです』と言っているのよ」

サンが教えてくれました。

サンとムーンは姉弟《きょうだい》です。

メリーはサンがいれてくれたレモンティーをのみました。

出してくれたクッキーもおいしかったです。

するとそこへサンとムーンのお父《とう》さんとお母さんが、畑から帰って来ました。

お父さんは肩《かた》にクワをかつぎ、頭にブリキの王かんをかぶり、お母さんは手にカマをもち、かみの毛にレンゲのかみかざりをしていました。

そうです。サンとムーンのお父さんとお母さんは、さかさまの世界の王様とお妃《きさき》なのです。

「これはこれはメリーさん、さかさまの国へようこそいらっしゃいました」

王様が長いヒゲをモグモグさせて、女の声で言いました。

「サンとムーンといっぱい遊んでいってくださいね」

お妃は低《ひく》い男の声で言いました。

「わしたちは、もうひと汗《あせ》かいてこよう」

「そうしましょう」

お茶をのみおわるとそう言って、王様はクワをかつぎ、お妃はカマをもって、また畑へ行ってしまいました。

さかさま世界では米や麦や野菜《やさい》を作るお百姓《ひゃくしょう》さんが一番えらいので、王様とお妃になっているのです。

それからメリーはサンとムーンに、さか立ちのしかたを教えてもらいました。かべの所でやってみたり、二人に足をもってもらって練習しました。

はじめはなかなかうまくいきませんでしたが、思いきって足をけってやってみると、だんだん上手《じょうず》にできるようになりました。

そしてついにメリーは、さか立ちで歩けるようになったのです。

メリーはサンとムーンといっしょに、さか立ちをして町へ散歩《さんぽ》に出かけました。どの家もみんなさかさまで、庭が上にあり、屋根が下にありました。

頭の上には草が生えていて、モグラが土をモコモコさせ、足の下には空が広がっていて、お日様がかがやき、鳥が飛《と》び、チョウチョウがヒラヒラしていました。

「さか立ちの散歩ってほんとうにステキだわ。なんでもさかさまに見えるんですもの」

メリーが言うと、向こうからさか立ちの人が何人もやって来て言いました。

「わちにんこ」

「わちにんこ」

メリーも同じようにあいさつを返しました。

そうするとなんだか楽しくて楽しくてたまらなくなってきました。

サンがさか立ちしたまま言いました。

「さかさま世界の人々は、こうしてものをさかさまに見る練習をしているのです。そうでないと自分だけが正しいと思って、えらぶるからです」

ムーンもさか立ちしたまま言いました。

「ぼくはさか立ちして、ものをさかさまに見る練習をしてから、友だちとけんかをしなくなりました」

ある道に出ると、さか立ちはしていませんでしたが、真《ま》っ赤《か》な口紅《くちべに》をぬり、ピンクのスカートをはいた男の人と、ツルツルぼうずでヒゲをつけ、ネクタイをした女の人がいて、ウインクして声をそろえて「わちにんこ」と言ったので、メリーは、気持ちわるかったのですが、「わちにんこ」と答えたのです。

会社へ行くとちゅうの子供が、「わちにんこ」と言いました。学校へ行く大人《おとな》が「わちにんこ」と言いました。

さかさま世界では子供が会社へ行き、大人が学校へ行くのです。それも月曜日から金曜日までがお休みで、土曜日と日曜日だけ行くのです。

「メリーちゃん、あれを見てごらん」

サンが言うのでメリーが見ると、どろぼうが、おまわりさんを追いかけていました。

「こっちも面白《おもしろ》いよ」

ムーンが言うので見てみると、ねずみがねこをつかまえていました。

「ワーイ、ワーイ」

メリーはうれしくなって思わずジャンプしたつもりで、さか立ちしたまま空中で足をバタバタさせました。

そのとたん、さか立ちのバランスがくずれ、頭からおっこちてしまいました。

「イテテテー！」

メリーは気がつくと、せんたく機のそばにうつぶせにたおれていました。

いつのまにか、せんたく機はとまっていて、せんたくができていました。

「あら、メリー、おせんたくしてくれたの。どうもありがとう」

買物から帰ってきたお母さんが、立ちあがってボーッとしているメリーに言いました。

メリーはソバカスにかこまれた目をパチクリさせ、お母さんの顔をじっと見つめていました。

何だか、お母さんはさかさま世界のお妃にちょっと似《に》ているように見えたからです。

でもお母さんの頭にはレンゲのかみかざりはありませんでした。声も女の声です。

「ただいま！」

そこへお父さんがクワをかついで、畑から帰ってきました。

メリーはお父さんもさかさま世界の王様にどこか似ているように思えて、じっと見てしまいました。

ヒゲがちょっと似ているかなと思いましたが、お父さんの頭にあるのはブリキの王かんではなくて、麦わらぼうしでした。

「どうしたんだい、メリー」

「いいえ、なんでもないの」

お父さんが、もちろん男の声で心配そうにきくと、メリーはそう言って金ぱつの三つ編みをゆすらせて、庭へかけて行き、さか立ちしようとしましたが、うまくできず、スッテンところんでしまいました。

「メリーはほんとうにおっちょこちょいだな」

「そうですね」

お父さんとお母さんは、そう言って大きな声で笑《わら》いました。

メリーは後でこの時のことを思い出しては思うのでした。

世の中のことをさかさまに見てみると、ほんとうに面白くて、いろんな人のいろんな気持がわかるような気がするわ、と。

10…まほうがつかえるように なった日

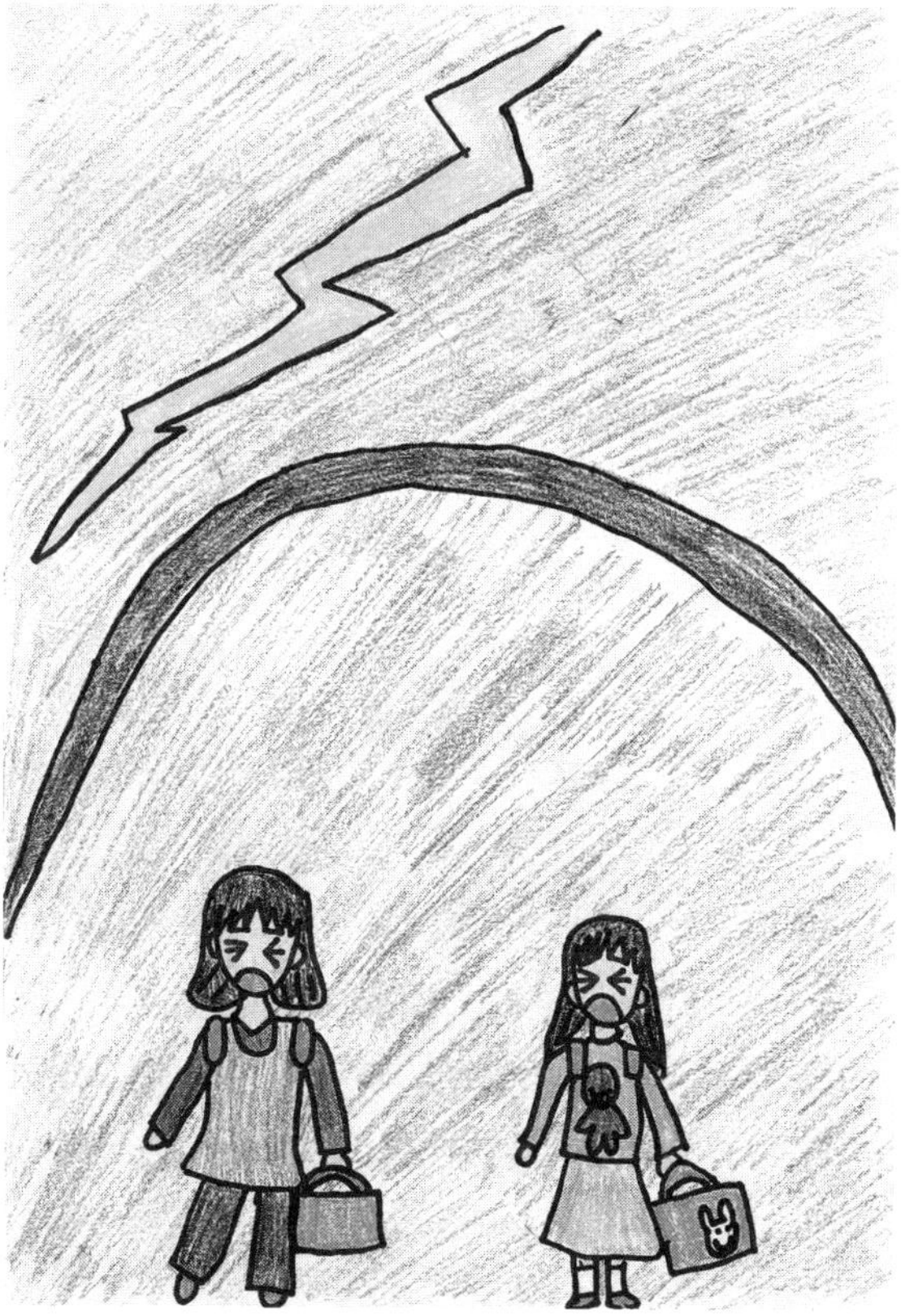

マホは小学一年生です。

休み時間にはお友だちのミヨちゃんといっしょに、かならず図書室へ行きます。

マホは、その日、『まほうつかい』のお話の、とても面白《おもしろ》そうな本を見つけました。

ちょっと読んでみたのですが、そのまほうつかいは、指の先から虹《にじ》を出すことができるのです。

マホがその本を借《か》りようとすると、ミヨちゃんもその本を借りたいと言ったので、ケンカになってしまいました。

「これは絶対《ぜったい》わたしが借りるの」

マホはそう言ってその本を借りました。

ミヨちゃんはおこって、学校の帰り道、口をききませんでした。

高速道路のそばまでくると、いままで晴れていた空が、真っ黒な雲におおわれ、かみなりがゴロゴロとなり、いなびかりがしました。

と思う間もなく雨がザーザーふってきました。

「キャー、こわいよう」

「ヤダー、こわいよう」

マホとミヨちゃんは、そう言って、高速道路の下のトンネルの中ににげこみました。

二人は真ん中あたりにすわりこみ、いなびかりがするたびに目を閉《と》じ、両手で耳をふさいでふるえていました。

「わたし、かみなりが大キライなの」

「わたしも……」

マホが言うとミヨちゃんも言いました。

マホの手には、さっき図書室で借りてきた『まほうつかい』のお話の本がありました。

「そうだ、このまほうつかいに、かみなりがやむようにお願《ねが》いしてみよう」

「それがいいわ、マホちゃん」

マホは本を胸《むね》に抱《だ》きしめると、小さな声で言いました。

「まほうつかいさま、どうか、かみなりがはやく遠くへ行きますように」

「はやく遠くへ行きますように」

ミヨちゃんも声をあわせて言いました。

しかしトンネルの中まで、いなびかりがして、かみなりの落ちる音がひびいてくるので、二人ともこわくて声が出なくなってしまいました。それで二人は抱き合いながら、こころの中で祈《いの》りつづけたのです。

「どうか、かみなりがはやく遠くへ行きますように」

「どうか、かみなりがはやく遠くへ行きますように」

すると不思議《ふしぎ》です。

いつのまにか、いなびかりがしなくなり、かみなりの音が小さくなり、雨がパタリと止《や》んだのです。

「ミヨちゃん、もう大丈夫《だいじょうぶ》みたい」

「そうね。お空が明るくなってる」

マホとミヨちゃんは、そう言うと、立ちあがり、トンネルの中を出口へ向かって走っていきました。

そして声をそろえて言ったのです。

「わあ、虹《にじ》だ、虹だ」

見ると火の見やぐらの向こうの東の空いっぱいに大きな虹が、かかっていました。

「あか」

「だいだい」

「きいろ」

「みどり」

「あお」

「あいいろ」

「すみれいろ」

二人は虹の七色を指さして言ったのです。

その時、マホは自分の指先から虹が出ているように感じて、まほうつかいの気分でした。

トンネルの出口に立って、二人はしばらく虹にみとれていました。

「マホちゃん、さっきはおこって口をきかなくて、ごめんね」

「いいの、わたしこそ、『まほうつかい』のお話の本、先に借りちゃって、ごめん。

はやく読んで、ミヨちゃんにまわすね」

二人は、そう言って、トンネルの出口のところでバイバイしました。

「ただいまー、お母さん、虹、虹、虹が出てる！」

マホはお家に帰ると大きな声で言いました。

「あら、ほんと、キレイ！」

げんかんからお庭に出てきたお母《かあ》さんが、東の空を見上げて言いました。

マホは、せ中にランドセルをしょったまま、胸に『まほうつかい』のお話の本を抱いて言いました。

「お母さん、お空のあの虹、わたしがまほうをつかってかけたんだよ」

「あら、ほんと」

「信《しん》じる？」

「もちろん信じるわよ。だってマホちゃんだもの。まほうの一つや二つ、つかえなくちゃ」

お母さんはそう言って、マホの体《からだ》をギュッと抱きしめました。

マホはすっかりまほうつかいの気分で、お空の虹を指さし、先ほどミヨちゃんとしたようにお母さんと七色をかぞえました。

夕ごはんのとき、マホが今日、まほうをつかえた話をすると、お父《とう》さんが言いました。

「ほう、マホはすごいな。お父さんも見たよ。あのかみなりを遠くへやって、あんなにキレイな虹をお空にかけるなんて……。こころに強く願えばかなえられないことなんてないのさ。お父さんもマホのまほうを信じるよ」

11…プレゼントのないクリスマス

クリスマスの朝です。

冬休みなので、もう少しねぼうしてもよかったのですが、クリスマスの朝は、いつもはやく目がさめてしまいます。

(プレゼント!)

まどかは、すぐまくらもとをさがしてみました。

「ない!」

まどかは弟のゆうへいをおこしました。

「ねえ、どうしたの? こんなにはやいのに!」

ゆうへいは、今日《きょう》がクリスマスだっていうことを、わすれているみたいです。

「何言ってんの! 今日はクリスマスよ。サンタさんのプレゼントがないのよ」

「ツリーのところにあるかも! 見にいこ!」

まどかとゆうへいは、となりの部屋《へや》にかざってあるツリーを見ました。

「あれ? おかしいなー」

「プレゼント、ないよ」

二人《ふたり》はキッチンに行きました。

「おかあさーん。プレゼントが、どこをさがしてもないの！」

まどかが、あわてて言いました。

「きっと、まどかもゆうへいも、イイ子にしてないからでしょ」

おかあさんはクスッと笑《わら》いながら言いました。

「おかしいな……。そうだ、おねえちゃん、だれか友達《ともだち》に電話してみて！」

「ゆうへい、なにバカなこと言ってんの！　まだ6時15分じゃない！　はやすぎるよ。でも、なんのために？」

まどかはゆうへいにたずねました。

けれどもゆうへいは答えません。

（そうか。友達にプレゼントがとどいたのか聞けば、きっとわかるわ）

まどかは、すぐ電話のところへいきました。

さっき自分がゆうへいに言ったことなどわすれています。

ボタンを、もうスピードでおしました。

プルルルルー、プルルルルー……。

いつになっても電話に出てくれません。

（まだねてるのかなあ）

まどかはじゅわきをおくと、時計を見ました。

（まだ6時30分かー。朝ごはん食べてから、また電話してみよう！）

まどかはリビングに行って、つくえの上においてある新聞を見ました。

表の大きな写真には、きれいなイルミネーションがあります。その次には、テレビらんを見ました。

まどかやゆうへいの見たそうな番組はありません。どれもこれも、特別《とくべつ》番組ばかりです。

もう一度上から見てみると、「サンタクロースはいるのか」という番組がありました。

「まどか、もうご飯《はん》にする？　用意できたよ」

「うん」

テーブルの上に用意されているハムエッグと、パンを食べました。けれども、プレゼントのことを考えていたので、あまりおいしく感じませんでした。ゆうへいもおなじようでした。

まどかは、まちきれないので電話してみました。今度は、おちついてボタンをおしました。

　プルルルー　プルルルルー。

「もしもし、小泉《こいずみ》です」

　彩《あや》ちゃんのお母《かあ》さんが出ました。

「もしもし、北川です。彩ちゃん、おきてますか」

「はい、おまちください」

「もしもしまどかちゃん、どうしたの？」

「あのね、彩ちゃんのところにサンタさんのプレゼントとどいてる？」

「今、さがしたんだけどなかったよ」

「えっ！　彩ちゃんのところも？　わたしのところにもプレゼント、なかったんだ」

「サンタさんを信じてるほかの友達にも聞いてみようか」

「弟の友達にも聞いてみるね。じゃあ、あとでね」

プルルルルー　プルルルルー。

まどかの家の電話がなりました。

「もしもし北川です。あっ、彩ちゃん、どうだった？　わたし可保《かほ》ちゃんに電話したけどプレゼント、とどいてないって……」

「わたしも、夏実《なつみ》ちゃんと令子《れいこ》ちゃんに聞いたけど、とどいてないって」

「弟の友達にもとどいてないらしいよ」

「どういうことだろう。あっ、そうだ。アメリカに住んでいる、メル友にも聞いてみようか」

「今からわたしも行くね」

彩ちゃんのところへ行ってくるね、と言うとまどかは急いで家を出ました。

彩ちゃんの家につくとちょうどパソコンをはじめたばかりでした。

「ねぇ、どうだった？」

「まって、今送信《そうしん》するから」

【親愛《しんあい》なるアンナちゃん。

メリークリスマス！　ところでアンナちゃんのところにサンタ

さんからプレゼントきた？
こっちの友達やわたしには、きてないの。
なるべくはやく返事ください。

彩より】

「あとは返事がくるのをまちましょ」

「うん」

「雑誌《ざっし》でも見てまっていようよ」

そう言うと彩ちゃんは、お気に入りの雑誌を開きました。

でも二人とも本当は、返事が気になって、雑誌どころではありませんでした。

となりの部屋から彩ちゃんの妹の花ちゃんの声が聞こえてきます。

泣《な》いているみたいです。

「花ちゃんのプレゼントは？　サンタさんのプレゼントは？」

何度も何度もおかあさんに聞いていました。

送信してから15分くらいたったでしょうか、やっとアンナちゃんからの返事がきました。

「きたよ、きたよ」

二人はそう言って、パソコンの画面をのぞきこみました。

【親愛なる彩ちゃん。

Merry Christmas! そっちは、もう25日なんだね。こちらはまだクリスマスイブです。サンタがこないですって!! そんなことあるわけないわ!! でも、少し心配だな。とにかくあしたになってからじゃないと何もわからないわ。わたしだって、プレゼントのないクリスマスなんていやだもの。あした何かわかったらまたメールします。

アンナ】

二人は時差《じさ》のことをすっかりわすれていました。こっちが朝の10時なので、アンナちゃんのいるニューヨークはクリスマスイブの夜の8時ごろです。

「もしかして、プレゼントがないのは日本だけだったらどうしよう……」

「サンタさん日本をわすれちゃったのかな」

「気になって何もする気になれないね」

「とにかく家に帰るね」

二人は、気になって宿題も家の手伝《てつだ》いもできませんでした。

あんまりぼんやりしているので、まどかはおかあさんに3回もおこられてしまいました。

プレゼントをもらえないほかの子供たちもきっと悲しい気持ちでしょう。


「まどかー、もうねなさい！　もう11時よ！」

「はあーい」

おかあさんに言われて、まどかが言った時でした。

とつぜん電話がなったのです。

プルルルルー　プルルルルー。

「こんな時間にだれかしら？」

「もしもし、小泉ですけど、こんなおそくにすみません。あのう、まどかちゃん、おきていたらかわってください」

「もしもし、彩ちゃん何かよう？」

「あのね、アンナちゃんからメールがとどいたよ！　今から読むね。

【彩ちゃんへ。

　たいへん！　プレゼントがとどきません。わたしの学校の友達のところにもとどいていません。親せきの子のところにもとどいていません。わたしの知るかぎり、ニューヨーク中の子供たちのところにとどいていないのです。じつはパパがいろいろ調べてくれたのです。もしも世界中の子供たちのところにもサンタさんがきてなくて、プレゼントをもらっていなかったら、どうしよう。

サンタさんは、一体どこに消えちゃったんだろう。

アンナ】

まどかちゃんどう思う？」

「サンタさん本当にいなくなっちゃったのかな」

そう言うと二人は、しばらくだまってしまいました。

暗い気持ちのまま電話を切りました。

サンタクロースは一体どこに行ってしまったのでしょうか。

本当に消えてしまったのでしょうか。

26日になると、まどかたちはもうプレゼントのことは、あきらめかけていました。

午前10時ごろ、まどかが宿題をしていると、電話がなりました。彩ちゃんからです。

「もしもし、彩だけど今日遊べる?」

「宿題がまだたくさん残《のこ》ってるから遊べないや、ごめんね」

「ふーん、ところで昨日《きのう》テレビでやってた『サンタクロースはいるのか』、見た?」

「あっ、すっかり見るの忘《わす》れてた」

「こんな時に、あんな番組があるなんて、もっと心配になっちゃった」

「どんな内容《ないよう》だった?」

「アニメが少しあったけど、半分は『サンタクロースを信じているか』っていうことについて、100人くらいの小学生にアンケートしたんだよ」

「そのアンケートの結果《けっか》はどうだった?」

「信じている人が67人で、信じてない人が33人だったよ」

「そうなんだ、じゃあまた今度遊ぼうね」

まどかは、じゅわきをおきました。

(信じてない人って、プレゼントもらったことないのかな)

まどかは少しさびしい気持ちになりました。


ニューヨークにいるアンナちゃんたちも、悲しいけれどしようがないと思っていました。

アンナちゃんのお父《とう》さんは日本人ですが、仕事の都合でニューヨークにいました。

日本のテレビ局につとめていて、今はニューヨークの支局《しきょく》で働《はたら》いています。

アンナちゃんのお父さんは、アンナちゃんやほかの子供《こども》たちのところに、サンタさんからプレゼントがこないので、とても悲しんでいる様子を見て、かわいそうに思いました。

それで世界のいろいろなところにある支局にいる仲間《なかま》に協力《きょうりょく》してもらい、サンタクロースがどこにも来ていないということを調べました。

「本当に、世界のどこにもサンタクロースがプレゼントをとどけていないぞ。これは大変《たいへん》だ。ニュースにしよう！」

アンナちゃんのお父さんは、ニューヨークの支局や、日本のテレビ局にもその話をしました。

そしてそのニュースは、世界中で流されることになりました。

ここはサンタの島です。

ずっと北のどこかにある小さな島です。

人間には行くことのできないサンタクロースと小人たちの住む不思議《ふしぎ》なところです。

みんないっしょに大きな家でくらしていました。

小人《こびと》たちはこの日ものんびりすごしていました。

本を読んでいたひとりの小人が言いました。

「なあ、そろそろクリスマスじゃないのか？　こんなことしていて大丈夫《だいじょうぶ》か？」

するともうひとりのヒゲの長い小人が言いました。

「大丈夫だよ。サンタクロースがまだもどってこないってことは、まだクリスマスじゃないいんだよ」

「そうだな」

サンタクロースの服をぬっていた女の小人が言いました。

「サンタが着て行く服が、もう5枚《まい》もぬえたわ。なんだか今年《ことし》のクリスマスは、なかなか来《こ》ない気がするわ」

サンタのぼうしを作っていたもうひとりの女の小人が言いました。

「クリスマスに間に合うように作れ！　ってサンタに言われて、作り始めて、もう8コもぼうしができちゃったわ。いつもは、せいぜい2コか3コくらいしかできないのに」

サンタのくつを持ってきた年をとった小人が言いました。

「今年は、いつもの年よりはやくプレゼントが用意できてしまって、プレゼント作りの小人たちはみんなひまだな。はっはっはっ！　わしはサンタせんぞくのくつ職人《しょくにん》だが、もう、クリスマス用のくつが4足もできた」

トナカイの世話をする小人は４人いました。

「トナカイはみんな元気だし、サンタが帰って来るまで、ぼくらは何もすることがないなあ」

「ああ、そうだな」

こっちの二人はチェスをしながら言いました。

「クリスマスはまだなのかねえ」

「サンタが帰ってこなくちゃ、どうしようもないだろう」

そっちの二人はトランプをしながら言いました。

サンタクロースの家は、サンタの島のちょうどまん中にあります。

その家のすぐとなりに、サンタや小人たちの集まる赤い屋根のホールが建《た》っています。

今は雪をかぶって赤い屋根は見えません。

そのホールで、毎年クリスマスの夜、つまりサンタがプレゼントをくばり終えてから、島中の小人が集まってパーティをすることになっていました。

小人の子供たちが、パーティでうたう歌を練習しています。

かざりつけもすっかり終わっています。

子供たちがかいたサンタやトナカイ、ツリーの絵もかざってありました。

ひとりの小人の子供が言いました。

「サンタはまだなの？　クリスマスはまだなの？」

すると他の子供たちも言いました。

「サンタはまだなの？　クリスマスはまだなの？　歌も上手《じょうず》にうたえるし、かざりつけだって終わったよ」

パーティの料理《りょうり》をつくる女の小人が言いました。

「きっと、もうすぐよ！　ケーキだってやけているもの」

サンタの島の時計は人間の世界のとはちがっていましたし、カレンダーだってそうです。

いつだってサンタの決めたとおり、サンタの言うとおりに、みんな仕事をしたり、遊んだりねむったりするのです。

そのサンタが、「わたしが帰るまで、みんな好《す》きなことをしてすごしていいぞ！　クリスマスプレゼントが早くできたごほうびだよ！」と言って出かけて、まだ帰らないのですから、小人たちはサンタが帰るまで待っているしかないのです。

サンタクロースの部屋の中には、世界中の子供たちの声が聞こえるという不思議なだんろがあります。部屋にはカギがしまっています。

カギはサンタが持って出かけてしまったので、だれも入ることができません。

「クリスマスなのに、サンタクロースが来ない」という子供たちの声を、だれも聞くことができません。

どうすれば小人たちやサンタクロースに、クリスマスが過ぎていることを知らせることができるのでしょうか。

サンタクロースは、小人たちをおいて南の島にいました。

サンタの島から遠く遠くはなれた小さな島で、ひとりでのんびりくつろいでいました。

もちろんまわりの人たちに気づかれないように、変そうしていました。

サングラスをかけ、赤と白のしましまの水着を着て、今日も朝からビーチにいました。

サンタクロースの住んでいるサンタの島は、ずっと北の方にあるので、春も夏も短かく、こんなふうに水着ですごすなんてほとんどありません。

ですからサンタもうれしくて、南の島のひとり旅を心から楽しんでいました。

「ああ、なんて気持ちがいいんだろう。あたりいちめん雪ばかりの寒いサンタの島とは大ちがいだ」

サンタはそう言うと、南の島のフルーツをムシャムシャ食べました。

「ああ、おいしい。小人たちにも食べさせてあげたいな。さあて、ひと泳ぎするかな」

サンタはちょっと準備《じゅんび》体そうをすると、ジャブジャブと海へ入って行きました。

海の水はすきとおっているので、きれいな魚が足の下の方を泳いでいるのが見えます。

スーイ、スーイ。

サンタはゆっくりと泳ぎました。

スーイ、スーイ。

空は薄《うす》いブルーで太陽がギラギラ輝《かがや》いていました。海は濃《こ》いブルーで波がキラキラ光って、それはきれいでした。

サンタはとても幸せな気分で、クリスマスのことはすっかり忘《わす》れているようです。

南の島でサンタに気づく人はだれもいません。

サンタのとまっているホテルの人も、サンタクロースがとまっているなんて思ってもみませんでした。

ここにとまっている間、サンタはサンタクロースではなく、サンクズ・ローズなんて変な名前を使っていたのです。

夕方、たくさん遊んで満足《まんぞく》した様子で、サンタがホテルに帰ってきました。

「サンタ……、いや、サンクズ・ローズだが」

「はい。お帰りなさいませ」

サンタは部屋のカギを受け取ると、自分の部屋に向かいました。

サンタのとまっている部屋は3階にあって、とてもながめのいい部屋でした。

いつもおいしそうなフルーツがおいてあって、食べ放題《ほうだい》でした。

サンタはひと休みすると、赤いアロハシャツと白いパンツに着がえ、夕食を食べるために、ホテルの1階にあるレストランに行きました。

肉料理《りょうり》、魚料理、野菜《やさい》料理……、なんでもありました。みんなおいしそうなものばかりでした。

サンタはいろいろなものを注文しましたが、決まって注文するものがひとつだけありました。こんな暑《あつ》い南の島だというのに、必《かなら》ずあつあつのシチューを注文するのでした。

レストランの人は、変《か》わった人だなあと思っていました。

サンタはおなかいっぱい夕食を食べると、自分の部屋に帰りました。

部屋からは夜の海辺がよく見えました。星空が海にうつってとてもキレイです。

「まるで夢の世界のようだ」

サンタは窓辺《まどべ》のいすにこしかけると、外の景色をながめながら言いました。

波の音がザブーン、ザブーンと、まるで子もり歌のように聞こえてきます。

「こんなに素晴《すば》らしいBGMがあれば、ラジオもテレビもいらないなあ」

サンタは目を閉《と》じ、うとうとし、そしていつの間にか本当の夢《ゆめ》の世界へ入っていきました。

今夜は、毎晩《まいばん》ねる前に必ず食べているチョコチップクッキーとミルクも忘《わす》れてしまいました。

その頃、南の島の子供たちの間でも、クリスマスが過《す》ぎたのに、どこの家にもサンタクロースがやってこないことが、うわさになっていました。

「どうしたんだろう?」

「こんなに小さな南の島だから、サンタさん忘れちゃったのかしら?」

「プレゼントのないクリスマスなんて、つまらないよ」

「サンタクロースって、忘れん坊《ぼう》なのかな」

でも、子供たちのそんな声は、サンタの耳にはとどいていませんでした。

今日もプレゼントがとどかないまま、一日が終わろうとしていました。

まどかは弟のゆうへいと、毎週楽しみにしているテレビのお笑い番組を見ていました。

お父さんは、「つかれた」と言って、先にねてしまっています。

「ゆうへい、次はゆうへいの好きなコンビが出てくるよ」

「うん、今夜もきっとおもしろいよ」

そのときです。

「番組の途中《とちゅう》ですが、ニュース速報《そくほう》です！」

男のアナウンサーが、あわてたように言いました。

「なんだよ、せっかくいいところなのに！」

ゆうへいが少しおこったように言いました。

『サンタクロースが消えてしまいました。世界中のどの子供にもプレゼントが届《とど》けられていません。くり返します。サンタクロースが消えてしまいました。どこにも姿《すがた》を現《あら》わしていません。いったいどういうことなのでしょうか』

「お母さーん、大変!!」

まどかとゆうへいは、おふろから出てきたお母さんにかけよりました。

「どうしたの？」

お母さんはおどろいて聞きました。

「今ね、テレビのニュース速報でね……」

まどかが言いかけると、ゆうへいがこうふんして言いました。

「サンタさんが消えちゃったって。どこにもいないって！」

「テレビ見てよ、お母さん」

三人がテレビの前にすわると、短いＣＭが終わってニュースの続《つづ》きが始まるところでした。

『サンタクロースのプレゼントをずっと楽しみにしていた子供たちは、本当にショックを受けています。ニューヨークの子供たちの様子《ようす》をごらんください』

アナウンサーが言うと、アメリカ人の子供が何人かうつりました。マイクをむけられた女の子が何か話しています。日本語が画面の下に流れています。

『わたし10才だけど、生まれてから一度もサンタが来なかったことなんてなかったわ。今年だって、勉強がんばってたのにどうして？』

別《べつ》の女の子が話しています。

『みんな妖精《ようせい》なんていないとか、サンタクロースなんていないとか言うから、サンタがおこっちゃったのよ。きっとそうよ』

その子は少し泣きそうでした。

たしかに最近、サンタクロースを信じていない友達って多いな、とまどかは思いました。

「ねえ、サンタクロースはいるよね」

ゆうへいが言いました。

「う、うん……。いるわよ、ね、お母さん」

まどかとゆうへいは、お母さんの方を見ました。

「まどかとゆうへいは、どう思うの？」

「いるよ、サンタクロースはちゃんといる！」

ゆうへいは力強く言いました。

「わたしもいると思う。いてほしい」

「それじゃ、きっといるわよ、サンタクロース」

まどかが答えると、お母さんはそう言って、となりの部屋へ行ってしまいました。

ニュース番組は30分くらいで終わり、さっきのお笑い番組の続きが始まりました。

ゆうへいの好きなお笑いコンビが出てきて、ギャグを言って笑わせています。

でも、なんとなく気がぬけてしまって、ゆうへいもまどかも笑うことができませんでした。

(いったいこれからのクリスマス、どうなっちゃうんだろう)

まどかはそう思いながら、今日はもうねることにしました。


サンタの島の大きな家のサンタの部屋は、カギがしまったままです。

小人たちの長老《ちょうろう》が、あることを思いつきました。

「プレゼントをあげる子供たちのリストと、地図を確認《かくにん》しておいた方がいいな。サンタがまちがえたら大変だ」

でも、リストも地図もサンタの部屋にあるのです。カギはひとつだけで、それはサンタが持って出かけてしまいました。

「サンタが帰ったら、すぐにでも出発できるようにしておきたいんだが、さて困《こま》った」

長老は少し考えると、小人たちの中で一番大きくて、一番の力持ちの男の所へ行きました。理由を話して、どうにかして開けてもらえないかとたのみました。

力持ちの小人は喜《よろこ》んで長老について行きました。

「ううう〜〜〜〜〜〜〜〜〜〜〜〜ん！」

サンタの部屋の大きなドアの前に立つと、力持ちの小人は声をあげて、ドアのノブを引っ張りました。

「ううう〜〜〜〜〜〜〜〜〜〜〜〜ん！」

もう一度、がんばって引《ひ》っ張《ぱ》りました。

見ている長老小人まで力が入ってしまいます。

「ううう〜〜〜〜〜〜〜〜〜〜〜〜ん！」

三度目のときです。

ミシッ！　バリバリ！　ドスン！

すごい音がして、力持ちの小人がひっくりかえりました。

手には、とれてしまったドアのノブがあります。

「おやおや、ドアのノブの所がこわれてしまった！　もうこうなったら、思いっ切りこわしていいぞ。今度は体当たりして開けておくれ」

長老小人が言ったので、力持ちの小人は、ドアから5、6歩うしろに下がると、ダッダッダッと走り、大きなドアに体当たりしました。

ドッスーン！

バッターン！

大きなドアが音をたてて、むこう側《がわ》へたおれました。

「おお、開いたぞ」

長老小人は、たおれたドアの上を歩いて中に入り、サンタの机《つくえ》の上にある良《よ》い子のリストと地図を手にとりました。

するとそのときです。何か聞こえてきます。

不思議なだんろから声がします。

「なんじゃ、プレゼントのおねだりか」

長老小人は、近づいてよく聞いてみました。

〝サンタさん、どこに行っちゃったの。クリスマスはとっくに過ぎたよ〟

〝ぼく、良い子にしてたのに、どうしてサンタさんはプレゼントをくれないの〟

〝やっぱりサンタクロースなんていないんだって、友達にいじめられたよ〟

それはそれはたくさんの声が、だんろからあふれてきます。子供たちが、サンタクロースを呼《よ》んでいるのです。

「えっ、なんてことだ‼　クリスマスが過ぎたって。いったい今日は何日なんじゃ」

長老小人はあわてました。

「おお、いい物があった」

いつか、プレゼントのお礼にと、サンタが日本の子供たちにもらったラジオが、机の上にありました。

「これは人間の世界のことがよくわかる、不思議な箱じゃ」

そう言って、長老小人はラジオのスイッチを入れました。

『12月26日午前11時、ニュースの時間です』

「なに！　26日。なんてことじゃ、クリスマスはとっくに過ぎとるぞ。こうしてはいられない。サンタに知らせんと……。でも、どうやって知らせたらいいんじゃ。トナカイとそりの準備もしなくては……。ああ、どうしたらいいんじゃ」

長老小人は、もうパニックになってしまい、ウロウロするばかりです。

サンタクロースは、いつ気がついてくれるのでしょうか。

サンタクロースは、今日もねぼうしました。

「ああ、ずいぶんねむってしまったな。今、何時かな。ん、9時30分か。それにしても、ここに来てから本当にのんびりさせてもらってるな。おかげで元気百倍だ」

サンタはひとりごとを言うと、おそい朝食をとりにレストランへ下りて行きました。

「さて、今朝《けさ》は何を食べよう。フレンチトーストはおとつい食べたし、ベーコンエッグはきのう食べた。ほとんどのメニューは食べてしまった。んん、わたしはここへ来て何日になるんだっけ」

サンタは南の島へやって来てからというもの、時間も気にせず、ゆっくりのんびりしていたので、ここへ来てから何日目なのか、今日が何日なのか、すっかりわからなくなっていたのでした。

仕方がないので、サンタはホテルの人に聞くことにしました。

「すまないが、今日は何日だか教えてくれないか」

「はい。今日は12月27日でございます。お客さま」

「えっ、何日だって?」

「12月27日でございます」

「……おおー、おおー、!!!」

サンタはおどろき、目をまんまるにして大きな声を出しました。でも思ったのです。

(何かのまちがいかもしれない。他の人にも聞いてみよう)

ホテルのロビーを歩いていた、他のとまり客にも聞いてみました。

「すいませんが、今日は何日でしょう」

「今日は12月27日ですよ。さっきラジオを聞いていましたし、まちがいないですよ」

「……おお~~~~、おお~~~~~、!!!」

サンタは心ぞうが止まりそうになってさけびました。

「なんてことだ! わたしとしたことが、クリスマスを忘れるなんて! とにかくサンタの島へ帰らなくては！」

サンタは大急ぎで帰りじたくをすると、一番早い時こくの飛行機《ひこうき》に乗りました。

でも、サンタの島まではとても遠くて、時間がかかります。

サンタの心ぞうはドキドキして、こわれそうでした。

そのころ、サンタの島でも大さわぎになっていました。

クリスマスがとっくに過ぎたことは、島中の人が知っていました。

「トナカイの準備はできたか」

「プレゼントは全部ふくろにつめたか」

おおぜいの小人たちが、あっちへこっちへバタバタと動きまわり、いつでもサンタが出発できるように準備していました。

「クリスマスはとっくに過ぎたけど、子供たちはプレゼントを受けとってくれるのだろうか」

ひとりの小人が、心配そうに言いました。

サンタクロースは、いつもどってくるのでしょうか。

飛行機を乗りつぎ、サンタが、やっとの思いでサンタの島の近くの北の国に着いたのは28日のお昼でした。

あともう少しです。

北の国の小さな空港には、サンタ専用《せんよう》のひとり乗りのプロペラ機がありました。

サンタは大急ぎでそれに乗りこむと、エンジンをかけました。

ブルンブルン、ブルルル——。

サンタを乗せたプロペラ機は、サンタの島をめざしました。

「速く、速く！　急いでくれー」

これなら、トナカイのひくそりの方が、よっぽど速いと、サンタは思いました。

「長老、サンタが帰ってきました！」

空を見上げていたひとりの小人がさけびました。

「サンタが帰ってきたぞ」

「サンタだ、サンタだ」

小人たちは、みんな大声をあげて喜びました。

サンタはプロペラ機からとびおりると、小人たちの待つ、トナカイのそりの方へ走ってきました。

「すまない。すっかりおそくなってしまった。わたしはあやまらなければならない」

「そんなことより、早く着がえてください」

「おお、そうだった」

サンタは、走りながら着ていた服をぬぎました。部屋の中でズボンをはくと、今度は上着のボタンをはめながら、そりの方へ走りました。もう汗《あせ》びっしょりです。

サンタはそりに乗りました。

「サンタ、ぼうしです」

ぼうし職人《しょくにん》の小人が、サンタの赤いぼうしを手わたしました。

「じゃあ行ってくるよ。それっ！」

サンタはそう言って、トナカイのつなをピッと引きました。

8頭のトナカイたちは、勢《いきお》いよく走り出すと夜空へと登って行きました。

「急がなくちゃ。よろしくたのむよ、みんな」

トナカイは首をふって返事をしました。

「時間よ、待っておくれ。プレゼントをくばり終わるまで」

サンタは、夜の空に魔法をかけました。

サンタは国から国、町から町、村から村へとかけまわりました。

そうしてさいごに、ある国のある町へやってきました。

サンタはいつものように、子供たちの部屋に現われると、ぐっすりねむっている子にささやきました。

「ごめんよ、プレゼントがおそくなってしまって」

もちろん、どの子の家にも、もうクリスマスツリーはかざってありません。

「本当にごめんよ。さびしかっただろう」

サンタは、ひとりひとりの子にプレゼントをくばり、心をこめてあやまりました。

「わたしを信じていてくれたのに、プレゼントがおくれて申しわけない」

サンタクロースは、「サンタクロースなんて信じない」という子供たちが多くなっていることを、じつは悲しく思っていたのです。

そしてこんどのことで、サンタクロースを信じていた良《よ》い子のみんなの心をきずつけ、悲しい思いをさせたことが、残念《ざんねん》でなりませんでした。

でも、おそくなってしまいましたが、こうして子供たちにプレゼントをくばることができたので、ひと安心です。明日の子供たちの笑顔《えがお》を思うと幸せな気持ちになります。

「わたしを信じて待っている子供たちがいるかぎり、わたしはがんばるぞ」

サンタは最後のひとりの子に、プレゼントをくばり終わると、そう言ってサンタの島へ帰って行きました。

サンタの島の赤い屋根のホールでは、今夜は島中の小人たちが集まって、サンタといっしょにパーティをすることでしょう。

「まどか、ゆうへい、おきなさい。冬休みだからって、朝ねぼうはだめよ」

お母さんの声で二人は目がさめました。

「ああ、寒い。でもおきなくちゃ」

まどかは、やっと決心して布団《ふとん》から出ました。

「ゆうへいもおきなさい……」

まどかはそう言いかけたとき、ゆうへいのまくらもとに、青いリボンのついた小さな包《つつ》みを見つけました。

「えっ、これって……」

まどかは自分のまくらもとを見ました。

そこには赤いリボンできれいにラッピングされた包みがありました。

(きっとそうだ、まちがいないわ)

まどかはゆうへいをおこしました。

「プレゼントよ！　サンタさんのプレゼント！」

ゆうへいは目をこすりながら、まどかからわたされたプレゼントの包みを受けとりました。

「やったあ！　わたしのほしかったスヌーピーのぬいぐるみだ‼」

先に包みを開けたまどかが、とびあがって言いました。

「ぼくのは、ゲームだよ。ずーっとほしかったやつだよ。やったあ！」

ゆうへいも足をバタバタさせて言いました。

「サンタさん来たんだね」

「うん。サンタさんはやっぱりいたね」

まどかとゆうへいは、いっしょにまどの方へ行くと、今のぼったばかりの朝日にかがやいている空を見上げながら言いました。

二人《ふたり》には空のずっとむこうに、サンタクロースの8頭のトナカイのそりが、リンリン鈴《すず》の音をひびかせながら遠ざかって行くのが、見えたような気がしました。

「サンタさん、ありがとう！」

「プレゼントをありがとう！」

まどかはプレゼントのぬいぐるみを抱《だ》きしめ、遠くの空へむかって言いました。

ゆうへいはゲームを手に持ってふりながら、大きな声で言いました。

「プレゼント、おくれてごめんねー。ちょっとおそいけど、メリークリスマス！メリー、メリー、クリスマス！　バイバーイ……」

まどかとゆうへいには空のむこうから、そんなサンタさんのやさしい声が、聞こえたように思えたのです。

きっと、プレゼントをもらった世界中の子供たちみんなに、サンタさんの同じ声が聞こえたことでしょう。

空のずっとずっとむこうに、サンタさんの声が消えてしまうと、まどかは小さな声で言いました。

「サンタさん、来年はクリスマス、忘れないでね。プレゼントのないクリスマスなんて、もういやだもの」

ゆうへいも言いました。

「ぼく、イイ子にしてる」

あとがき

宮下木花

わたしは、夢という言葉が好きです。

そして、夢はこころに強く願って努力すれば、必ずかなうと信じています。

わたしは現在、中学一年生で十二才です。

小学校一年生のころから詩や童話を書いてきましたが、いつか本を出すのが夢でした。

それが、去年の秋に銀の鈴社の皆様のお世話で、わたしの最初の童話集『ひとしずくのなみだ』を出版させていただきました。おかげで、わたしの夢は実現しました。

新聞や雑誌、テレビやラジオなどで紹介され、北は北海道から南は九州まで、全国の大勢の皆様から、お便りをいただきました。

わたしの作品をほめてくださったり、励ましてくださった次の皆様に、こころから感謝します。

阿川弘之さん、秋山ちえ子さん、新井克昌さん、飯塚訓さん、石山幸弘さん、梅原猛さん、永六輔さん、大崎哲子さん、小渕優子さん、大木紀元さん、加古里子さん、古平隆さん、黒岩夕城さん、黒古一夫さん、小山弘利さん、近藤隆明さん、梶原淳一さん、清水昇さん、城山三郎さん、志茂田景樹さん、千賀修一さん、立松和平さん、田村清一さん、常山満さん、寺井清

あとがき

さん、冨岡みちさん、戸川克己さん、豊原清明さん、中山晴善さん、西川夏代さん、深田千里さん、前田トシエさん、丸山哲矢さん、宮田滋子さん、宮川ひろさん、村田白峯さん、森田和好さん、山沢恭子さん、山田修さん、和佐田稔さん他、約三百六十名。

これはわたしの二冊目の童話集です。

前の作品と同じように、大勢の皆様に楽しんで読んでいただければうれしいです。

群馬県藤岡市神流《かんな》保育園の広瀬尊子先生と先生方、神流小学校の丸橋まゆみ先生と先生方、わたしにたくさんのことを教えてくださり、ありがとうございました。

今、わたしが通学している藤岡市立北中学校の品田彰校長先生と先生方、特に一年一組担任の浅見俊之先生、いつもわたしをご指導し、励ましてくださり、ありがとうございます。

それにクラスのみなさん、わたしと仲良くし、応援してくれて、ありがとう。

『童話のポケット』主宰の石井由昌先生、作品掲載とご指導をありがとうございます。

漆原智良先生、わたしの本を雑誌やテレビで、ご紹介くださり、ありがとうございます。

本ができるのは大勢の皆様のおかげです。

今度もまた銀の鈴社代表の西野真由美さん、編集長の柴崎俊子さんをはじめ、スタッフの皆様には大変お世話になりました。

ありがとうございました。

作者紹介

宮下木花（みやした　このか）

1995年（平成７年）３月15日生。

群馬県藤岡市立北中学校１年生（12才）。

児童文芸ペンクラブ会員。

小学校１年生のころから童話を書き始め、４年生のときから『童話のポケット』（石井由昌主宰）に作品を連載。

小学校６年生（11歳）で、童話集『ひとしずくのなみだ』（銀の鈴社刊）を出版、作家デビュー。

創作年リスト

1～7	小学校６年
8～11	小学校５年

〔表紙の絵とさし絵も作者が描きました。〕

NDC 916
宮下木花　作
東京　銀の鈴社　2007
136P 21cm（いちばん大切な願いごと）

定価＝一、二〇〇円＋税

小さな鈴シリーズ②
いちばん大切な願いごと

二〇〇七年一一月一一日　初版
作・絵――宮下木花
発行所――㈱銀の鈴社　http://www.ginsuzu.com
発行人――西野真由美
〒104―0061 東京都中央区銀座一―二一―七―四階
電　話　０３（５５２４）５６０６
ＦＡＸ　０３（５５２４）５６０７
〈落丁・乱丁はおとりかえいたします〉

ISBN 978-4-87786-643-4 C8393

印刷・電算印刷　製本・渋谷文泉閣

小さな鈴シリーズは、子どもがつくった作品です。

このシリーズの第一作「ひとしずくのなみだ」宮下木花作は、とつぜん送られてきた原稿でした。先入観のないまっ白な頭で読んでいくうちぐいぐいひき込まれてしまいました。

子どもの感性は、無限の拡がりを秘めている──

と、心の底から感じました。勇気を出して「出版」という形で社会へ羽ばたいてもらいました。

ある日、面識のない秋山ちえ子先生から熱い応援コールのお電話を頂きました。

「子どものもつはかりしれない力が、さらにぐんぐん伸びるでしょう」と。

子どもの純な五感がパチパチとはじけて小さな鈴を鳴らす、太陽いっぱいの広場です。

　　　　　銀の鈴社　編集部